Un piège au bout du monde

NATALIE ANDERSON

Un piège
au bout du monde

HARLEQUIN

Collection : Azur

Cet ouvrage a été publié en langue anglaise
sous le titre :
TYCOON'S TERMS OF ENGAGEMENT

HARLEQUIN®
est une marque déposée par le Groupe Harlequin

Azur® est une marque déposée par Harlequin

Le visuel de couverture est reproduit avec l'autorisation de :

Couple : © SHUTTERSTOCK/ ROYALTY FREE

Tous droits réservés.

HARLEQUIN
83-85, boulevard Vincent-Auriol, 75646 PARIS CEDEX 13
Service Lectrices — Tél. : 01 45 82 47 47
www.harlequin.fr
ISBN 978-2-2803-4355-8 — ISSN 0993-4448

1.

— Ne me laisse surtout pas seule avec lui, tu entends ?

Stephanie Johnson, plus connue dans la blogosphère sous le pseudonyme de Steffi Leigh, referma la portière du passager en lançant un regard d'avertissement à sa meilleure amie.

— Arrête de stresser. Il n'est pas dangereux, répondit Tara en lui emboîtant le pas.

— Bien sûr que si ! Il est tout-puissant, répliqua Stephanie.

Jack Wolfe avait son sort entre ses mains.

— Je ne peux pas donner le change très longtemps, tu le sais bien, ajouta-t-elle.

Quatre-vingt-dix secondes, la durée des vidéos qu'elle enregistrait pour son blog dans un coin de sa chambre. Tenir le rôle de Steffi Leigh pendant trois heures dans le monde réel relevait de l'exploit.

D'un geste machinal, elle porta sa main à sa bouche, mais ses longs gants blancs de starlette l'empêchaient de se ronger les ongles. Pour cacher sa nervosité, elle s'était composé un look *vintage* sophistiqué.

— Ne touche pas à ton maquillage !

Tara farfouilla dans son grand sac et en tira un pinceau à blush.

— Tiens-toi tranquille...

Comme si c'était possible ! Les pieds à l'étroit dans ses ballerines, l'estomac noué, elle frissonnait malgré une température extérieure de 32°. Repoussant Tara, elle vérifia de nouveau l'heure sur son portable.

— Allons-y. Je ne veux pas être en retard.

Le fard à joues était superflu. La première question embarrassante lui mettrait probablement les pommettes en feu. Sa sensation de panique s'accentua brusquement. N'allait-elle pas se trahir dans les cinq premières minutes ? Steffi Leigh était une pure fiction, et Stephanie Johnson une piètre comédienne.

— Peu importe si tu es en retard, lui dit Tara. Steffi Leigh peut tout se permettre. Tu vas faire une entrée remarquée.

Elle acquiesça d'une moue expressive. Habillée et coiffée comme elle l'était, cela ne faisait aucun doute. Avec sa robe à la jupe ample, serrée à la taille, et son gros chignon de boucles, elle semblait sortir tout droit d'un magazine des années 1950. Tous les passants se retournaient, s'imaginant sans doute qu'elle se rendait, avec sa maquilleuse, à une séance de photos.

Malheureusement, elle n'était pas mannequin. Son image seule ne suffirait pas à convaincre l'homme d'affaires d'acheter son blog. Elle allait devoir parler et argumenter.

Tara lui fit les gros yeux.

— Ne t'inquiète pas, tu vas y arriver. De toute manière, tu es obligée d'aller de l'avant.

Oui, songea-t-elle, fataliste et déterminée. Il le fallait. Pas pour elle, mais pour son frère.

Redressant les épaules, elle releva le menton pour endosser la personnalité de Steffi Leigh. Elle ferait de son mieux.

Elle franchit les quelques mètres la séparant de l'entrée monumentale du Raeburn Hotel, le cinq-étoiles le plus renommé de Melbourne, où elle avait rendez-vous avec Jack Wolfe. Ce P-DG d'une maison d'édition internationale spécialisée dans les guides touristiques avait su prendre le tournant de la révolution numérique avec la publication en ligne, et s'intéressait au succès de son blog.

Depuis quelques années, la monétisation était devenue un mot clé dans le cyberespace. Il était à la portée de n'importe qui de se faire une place sur Internet, mais seuls les meilleurs parvenaient à rentabiliser leurs sites ou leurs vidéos.

Stephanie était apparemment tout près de décrocher le gros lot. Cette fois, il ne s'agissait pas de quelques dollars gagnés avec des annonces publicitaires. Un richissime héritier lui proposait une fortune, une manne inespérée qui lui permettrait de sortir son frère de la spirale infernale qui l'entraînait toujours plus bas. Avec cet argent, il pourrait se remettre aux études et repartir de zéro.

Pour réussir la transaction, elle devait entretenir savamment le mystère. L'immense plate-forme où elle se mettait en scène n'était en réalité qu'un décor projeté dans un coin de sa petite chambre. Personne ne pouvait imaginer à quoi ressemblait le reste de la pièce…

En aucun cas le P-DG des Editions Wolfe ne devait soupçonner la vérité. Elle lui vendrait le concept comme une coquille vide.

Elle sourit au portier en livrée et marqua une pause en cillant pour ne pas paraître impressionnée par la magnificence du hall, tout en marbre. Outre qu'elle n'était pas sortie depuis quelque temps, elle n'avait pas l'habitude de fréquenter des endroits aussi luxueux.

— Je vais aux toilettes, murmura Tara.

— *Maintenant ?*

— Ton frère était barricadé dans la salle de bains. Je n'ai pas pu y aller avant de partir.

L'angoisse se peignit sur les traits de Stephanie.

— Ah bon ? Tu ne m'avais rien dit. Il a eu un problème ?

Elle était persuadée que Dan dormait. Même maintenant, plusieurs mois après sa dernière opération, il avait besoin de beaucoup de repos.

— Il boudait, c'est tout. Cesse de te tourmenter à son sujet. Il te fera tourner en bourrique, si tu continues comme ça ! Et range ton téléphone. Ce n'est pas le moment de te laisser déstabiliser. Il te manipule !

— Pas du tout, protesta Stephanie avec une expression coupable et embarrassée.

Une fois seule, elle alluma tout de même l'écran pour vérifier qu'elle n'avait pas de message de Dan.

Mais Tara avait raison. Dan pouvait bien attendre trois heures, jusqu'à l'issue de l'entretien. Après tout, c'était pour lui qu'elle entreprenait ces démarches.

En se dirigeant vers la réception, elle remarqua un homme de dos, debout dans un coin. Un porte-documents en cuir à la main, il parlait au téléphone avec un fort accent américain. Il émanait de lui une étrange aura de puissance et d'autorité.

— Tant pis s'il est occupé. J'ai déjà trop attendu, lança-t-il sèchement. Débrouillez-vous pour m'obtenir un rendez-vous le plus vite possible.

Il raccrocha et se retourna.

L'inconnu avait manifestement l'habitude de donner des ordres sans y mettre les formes. Curieuse de découvrir son visage, Stephanie l'observa à la dérobée. Brun, très bronzé, il avait des yeux d'un bleu profond et aurait été séduisant s'il n'avait été aussi en colère.

Elle tressaillit en étudiant plus attentivement son expression. En fait, il paraissait plus blessé qu'en colère, et elle éprouva un élan de sympathie. Il souffrait, cela ne faisait aucun doute ; elle reconnaissait parfaitement les signes de cet état d'âme.

Il se raidit tout à coup, leva la tête et la surprit en train de le regarder. Aussitôt, son expression changea et se ferma. Plissant les yeux, il la détailla de haut en bas, avec une morgue et un sans-gêne stupéfiants.

Paralysée, elle resta figée, incapable de bouger, tandis qu'il pinçait les lèvres d'un air hostile et réprobateur.

D'accord, elle n'était peut-être pas assez éblouissante pour faire la couverture de *Top Model* ou de *Cosmo*, mais elle était plus que passable. Et, de toute façon, la grossièreté de cet homme était impardonnable.

Etait-il fâché qu'elle ait surpris sa conversation ? Il lui suffisait de ne pas téléphoner en public.

A présent, elle doutait de la tristesse qu'elle avait cru deviner sur ses traits et regrettait son élan d'empathie.

Il n'était évidemment pas question de lui montrer à quel point il l'avait vexée. Se coulant dans le moule de Steffi Leigh, elle lui adressa son sourire le plus éclatant puis, sans attendre sa réaction, elle se tourna vers la réceptionniste.

— Pourriez-vous prévenir Jack Wolfe que Steffi Leigh est arrivée ?

— Je suis Jack Wolfe, fit une voix grave, juste derrière elle.

Intérieurement, elle se crispa plus encore. Même si elle s'en défendait, elle avait su tout de suite qui il était. S'exhortant au calme, elle lui fit face lentement.

Les guides Wolfe s'adressaient aux routards chics et décontractés qui, sac au dos, réussissaient le tour de force de visiter une quinzaine de pays en dix mois. Infiniment plus élégant que ses lecteurs, Jack Wolfe portait un costume sur mesure, avec une chemise choisie avec soin pour faire ressortir le bleu de ses yeux.

— Je vous aurais reconnue entre mille, madame Leigh, dit-il d'un ton hautain.

Cela ne l'avait pas empêché d'afficher son mépris. Quel mufle !

— Appelez-moi Steffi, je vous en prie, répliqua-t-elle sèchement.

Mieux valait oublier l'émotion du premier instant, ainsi que l'impolitesse dont il avait fait preuve.

La poignée de main de Jack Wolfe lui envoya comme une décharge électrique dans le bras. Incapable de détacher le regard de ses traits finement ciselés, elle eut l'impression que ses genoux se dérobaient sous elle.

Tara se trompait. Il était dangereux.

— Steffi est le diminutif de Stephanie ? demanda-t-il.

Elle hocha la tête et retira promptement sa main. Personne ne l'appelait plus Stephanie, sauf son frère lorsqu'il était en colère, ce qui arrivait malheureusement assez souvent.

— Stephanie est un prénom charmant, reprit-il froidement.

Qu'impliquait cette remarque, sinon une critique à peine voilée du choix de son pseudonyme ? Elle serra les dents en se réfugiant sous le masque de son alter ego.

Steffi Leigh se comportait toujours comme si le monde entier lui obéissait au doigt et à l'œil. Elle n'avait aucune raison de se conduire autrement avec Jack Wolfe.

— Un petit selfie pour immortaliser le moment ? lança-t-elle avec un rire forcé.

— Non.

Joli début, Steffi.

Elle prit sur elle pour ne pas montrer sa contrariété. Il ne fallait pas battre en retraite. C'était justement la touche tendance et personnelle qui intéressait l'acheteur potentiel.

— Non ? Tant pis. Je la joue solo.

Elle sortit son portable et prit la photo.

— Vous faites cela souvent ?

— Quand cela me chante, répondit-elle insolemment, sans se soucier de son ton sarcastique. Mes followers sont ravis.

En réalité, elle composait la plupart de ses clichés à partir d'un mème, dans des décors originaux ou inattendus, pour amuser ses fans.

— J'imagine que vous excellez dans l'art d'utiliser Photoshop et toutes sortes de filtres.

— Pas du tout. Je fais rarement des retouches.

Il la considéra longuement, de la tête aux pieds.

— Avec le temps que vous devez passer à vous maquiller, c'est superflu.

Tara avait effectivement consacré presque deux heures à appliquer différentes couches de fond de teint, blush, poudre et fard à paupières. Mais cela ne le regardait pas. Il n'avait pas à faire de commentaires. Malgré tout, elle garda les formes.

— Vous êtes perspicace ! s'exclama-t-elle en battant des cils.

— Je me demande comment vous êtes au naturel…

— Encore plus fascinante, répliqua-t-elle du tac au tac.

— J'aimerais beaucoup voir cela.

Même pas en rêve !

Elle lui jeta un regard furieux. A l'évidence, il la prenait pour une midinette superficielle et écervelée.

Goujat !

A sa grande surprise, il lui adressa un sourire qui avait quelque chose de juvénile et de malicieux qui le métamorphosait complètement. Elle se sentit troublée. Il était terriblement séduisant. Irrésistible.

Tout compte fait, elle préférait son air glacial et hautain…

— Pardonnez-moi ma brusquerie de tout à l'heure. J'étais préoccupé, lorsque vous êtes arrivée.

Surtout, surtout ne pas céder au magnétisme qui émane de lui !

Rassemblant ses esprits, elle se rappela qu'elle avait un plan. Car jamais elle ne tiendrait trois heures à discuter autour d'une table. Au bout de vingt secondes, Steffi Leigh utilisait ce qu'elle avait sous la main pour meubler le temps — de nouveaux produits, des listes de choses à faire, d'endroits à visiter, n'importe quoi…

— *Nobody's perfect*, susurra-t-elle.

Soulagée de voir arriver Tara, elle ajouta :

— Voici Tara, mon assistante.

Jack n'accorda pas un regard à la nouvelle venue.

— Nous vous kidnappons, annonça Stephanie d'un ton qu'elle voulut enjoué.

Il haussa un sourcil sceptique.

— Vraiment ? Vous avez du chloroforme ?

— Le charme est plus efficace.

Une lueur ironique passa dans les yeux bleus de Jack, et l'irritation de Stephanie monta d'un cran. Refusant néanmoins de répondre à la provocation, elle resta indifférente à son rire terriblement sexy.

— Tara nous servira de chauffeur, poursuivit-elle.

Tara remplissait toutes sortes de fonctions et la tirait de toutes les situations embarrassantes.

14

— Tara, je te présente Jack Wolfe.

Tara resta un instant bouche bée.

— Vous êtes *vraiment* Jack Wolfe ?

Il hocha la tête.

— Vous vous attendiez à quelqu'un d'autre ?

— Non. Vous êtes… parfait.

— Merci.

Un peu décontenancée, Tara les observa tour à tour, avant d'esquisser un sourire entendu.

— Je vais chercher la voiture.

Stephanie fronça les sourcils. Tara la laissait encore seule avec lui ?

— Pourquoi ? demanda Jack.

— Je vous emmène visiter Melbourne, répondit Stephanie résolument en tournant les talons pour se diriger vers la sortie.

Il la rattrapa au milieu du hall.

— Vous ne conduisez pas ?

— Je serai occupée à parler avec vous.

— Vous ne pouvez pas faire deux choses à la fois ?

— Je préfère me concentrer sur la discussion.

— Dans ce cas, je prendrai le volant.

— Pardon ?

— Je vais conduire.

— Non.

Horriblement crispée, elle lui indiqua la Mercedes décapotable jaune pastel, ultra-féminine, qui se garait devant l'entrée.

— Ce n'est pas une voiture d'homme, vous voyez bien.

Elle s'approcha, mais il la devança.

— Steffi a accepté de me confier le volant, déclarat-il dès que Tara eut coupé le contact.

— Ah ? Très bien.

Tara enleva la ceinture de sécurité et mit pied à terre.

— Tu n'insistes pas pour nous accompagner ? demanda Stephanie d'un ton appuyé.

— Pas du tout.

Sans même la regarder, Tara tendit les clés à Jack.

— Je suis sûre que vous ferez très attention à elle.

— A qui ? A Steffi ou à la voiture ? lança-t-il avec un sourire amusé. Ne vous inquiétez pas. Je suis très prudent.

Surmontant à grand-peine son agacement, Stephanie embrassa Tara.

— Tu t'occuperas de Dan ? chuchota-t-elle à son oreille.

Cela faisait des mois qu'elle n'avait pas laissé son frère seul aussi longtemps.

— Bien sûr.

— Promis ?

— Fais-moi confiance. Il ne peut rien lui arriver, de toute façon. Amuse-toi bien.

Comme s'il s'agissait d'une partie de plaisir !

Pourtant, intérieurement, Stephanie éprouvait de curieux fourmillements d'impatience, qu'elle n'avait pas ressentis depuis très longtemps. Même si tout avait mal commencé, elle se promit de mener la négociation à bien.

— Au revoir, Jack. Ravie de vous avoir rencontré.

Tara s'éclipsa en agitant la main et Jack jeta son porte-documents sur la banquette arrière avant de s'installer au volant.

— Vous savez que nous conduisons à gauche ? marmonna Stephanie.

— Oui, merci.

Dans la petite voiture, Jack Wolfe paraissait encore plus imposant.

— Je peux aussi prendre votre place, suggéra-t-elle. Ce sera plus facile que de vous donner des indications.

Il eut un sourire entendu qui l'exaspéra par son arrogance. Malgré cela, une chaleur étrange se mit à couler dans ses veines.

— Je n'ai pas besoin d'indications.

— Vous ne savez pas où je veux vous emmener.

— Peut-être, mais je sais exactement où je veux aller.

Elle pinça les lèvres. Contrairement à ce qu'elle croyait, il connaissait Melbourne. Du coup, son plan tombait à l'eau.

— Vous ne supportez pas de perdre le contrôle ? lâcha-t-elle. Je comprends pourquoi vous écrivez des guides. Vous avez besoin de diriger les gens.

Elle regretta aussitôt ses paroles. Steffi Leigh était trop gentille pour assener ce genre de remarques acerbes.

— C'est vous qui dictez leur conduite aux gens, jusqu'à la couleur des glaces qu'ils doivent manger pour être cool, ironisa-t-il.

Elle ignora son sarcasme.

— Moi qui croyais que Jack Wolfe aimerait sortir des sentiers battus et s'en remettre à quelqu'un du cru…

— Vous avez envie de vous occuper de moi ? D'être aux petits soins ?

Il éclata d'un rire franc et spontané qui la prit de court. Son hostilité du début avait complètement disparu.

Il tourna la clé de contact et démarra.

— Qui est Dan ? demanda-t-il tout à coup.

— Mon chat.

— Votre chat ? Je vous imaginais plutôt avec un chihuahua.

— Vous avez la tête farcie de stéréotypes ridicules sur les « fashionistas ».

— Je ne vous ai pas traitée de « fashionista ».

— Non, mais votre regard était suffisamment éloquent.

— Vraiment ? Comment vous ai-je donc regardée ?

— Comme si vous souffriez à l'avance de devoir supporter une créature frivole comme moi. Avec l'air de mourir d'ennui à cette idée.

Il s'arrêta à un feu rouge et se tourna vers elle en plongeant les yeux dans les siens.

— Et, maintenant, je vous regarde comment ?

— Comme si vous vouliez me manger toute crue, mais je n'ai pas peur.

— Si vous me prenez pour un séducteur, vous vous trompez. Il ne faut pas me confondre avec mon frère George.

L'espace d'une seconde, la tristesse réapparut fugacement dans ses prunelles.

— Vous me décevez, murmura-t-elle.

— Vous vous attendiez à quoi ? A rencontrer le grand méchant loup ?

— Non, même si une petite promenade dans les bois ne serait pas pour me déplaire.

Elle n'avait pas souvent l'occasion d'oublier son quotidien, son appartement minuscule, son frère, son blog… La visite de Melbourne lui fournissait un bon prétexte, tout en lui épargnant de culpabiliser.

Jack l'observa pensivement, avec une intensité dérangeante.

— Vous me surprenez.

— J'en suis ravie, répliqua-t-elle avec coquetterie.

— Stephanie…

La sonnerie de son portable l'interrompit. Quand il jeta un coup d'œil à l'écran, ses traits se durcirent de nouveau.

— Excusez-moi, je dois répondre.

Il se gara le long du trottoir.

— Alors ? lança-t-il, manifestement tendu, en décrochant.

Il écouta un instant son interlocuteur.

— Très bien. J'y serai.

Il remit son téléphone dans sa poche, mais ne redémarra pas tout de suite.

En le voyant crisper les mains sur le volant, Stephanie s'humecta nerveusement les lèvres.

Finalement, elle se tourna vers lui et fut instantanément happée par l'expression orageuse de ses yeux bleus. Une émotion intense le ravageait.

L'air se chargea d'électricité.

— Steffi Leigh…, dit-il en prononçant très doucement son pseudonyme de blogueuse. Vous avez *vraiment* envie de vous évader ?

2.

La question n'était pas totalement innocente, mais Jack ne regretta pas de l'avoir posée.

Le visage de Stephanie exprima une succession d'émotions, et une lueur irrésistible s'alluma au fond de ses yeux bleu-vert. Suspendu à ses lèvres, il retint son souffle, comme si sa réponse avait une importance capitale.

Elle semblait hésiter. S'exhortant à la raison, il s'efforça de revenir à la réalité. Pouvaient-ils vraiment s'enfuir tous les deux, seuls, loin de tout ?

Son corps s'embrasa, et une vague de chaleur courut sur sa peau.

Il fut déçu de la voir tout à coup retrouver son vernis glacial et poli. Elle était comme ces cupcakes hors de prix dans les pâtisseries à la mode. Une gourmandise de choix, joliment décorée, et terriblement tentante.

— Et vous ? demanda-t-elle d'une voix légèrement voilée.

Manifestement, elle cherchait avant tout à ne pas lui déplaire, sans doute pour ne pas compromettre la transaction qu'elle souhaitait. Elle devait avoir besoin d'argent.

Dirait-elle oui à tout ce qu'il proposerait ?

Un instant, il faillit avoir toutes les audaces.

Parce que, en effet, en ce moment même, il avait envie de s'enfuir n'importe où. Avec elle.

Il prit une profonde inspiration.

— Oui. J'ai toujours une folle envie de m'échapper.

Une étincelle de méfiance brilla dans son regard.

— Votre vie est si épouvantable ?

— Tout le monde traverse des épreuves.

A l'évidence, elle ne le croyait pas. Elle imaginait sans doute qu'il menait une existence de rêve dénuée de tout souci. Quelle ironie ! Alors que Steffi Leigh perdait son temps sur le Net en futilités, à présenter de nouveaux parfums ou les derniers endroits à la mode…

— Oh ! Ce doit être exténuant de passer sa vie à voyager dans tous les coins de la planète ! ironisa-t-elle.

En réalité, d'autres le faisaient à sa place, et il passait le plus clair de son temps derrière un bureau. Elle pouvait penser ce qu'elle voulait, il n'avait rien à prouver. En tout cas, elle avait plus de personnalité qu'il ne l'aurait cru.

— Vous n'avez jamais envie, de temps en temps, de fuir certaines corvées ? demanda-t-il en scrutant son beau visage.

Elle avait des traits incroyablement réguliers, absolument parfaits. Malgré le maquillage, ses joues s'empourprèrent et elle s'humecta les lèvres du bout de la langue.

Traîtreusement, l'aiguillon du désir le tourmenta. Pourtant, Steffi Leigh n'avait absolument rien pour lui plaire. Contrairement à son frère George, il ne s'intéressait pas à ces femmes superficielles qui obéissent aveuglément aux diktats de la mode et imposent leurs règles à leur entourage.

Malgré tout, elle était sans doute moins évaporée qu'elle n'en avait l'air. Elle ne manquait ni d'esprit ni de répondant. Curieusement, Steffi Leigh n'était pas *entièrement* gentille. Cela lui donna envie de découvrir sa véritable nature.

— Stephanie ? insista-t-il pour la provoquer.

Réussirait-il à la pousser dans ses retranchements ? Il en avait bien l'intention.

— Non, assura-t-elle avec un sourire. Pas du tout.

Sa réponse, qui manquait de sincérité, l'ennuya et l'amusa tout à la fois.

— Non ? répéta-t-il, incrédule.

Dominant visiblement son irritation, elle continua à le défier sans baisser les yeux et il se tut, complètement sous le charme.

Il la fixa sans doute un peu trop longtemps, car le désir s'insinua profondément en lui. Que n'aurait-il donné pour lui faire ôter son masque !

Son portable lui signala un texto, qu'il ne prit pas la peine de lire, mais qui le ramena à la réalité.

Il se racla la gorge. Il était temps de se ressaisir et de parler business.

— Où aviez-vous l'intention de m'emmener ? Un nouveau centre commercial ? Un paradis de la consommation ?

— Non.

Dieu merci !

La mine faussement contrite, il poursuivit :

— Quel dommage ! J'avais envie de vous voir en pleine action, en train de sélectionner vos produits de luxe pour en vanter les mérites.

— Vraiment ? Si vous le souhaitez, je peux vous conduire dans une ou deux boutiques originales qui ne vous décevront pas, susurra-t-elle avec une moue « à la Steffi Leigh ». Votre vœu sera exaucé.

Comme d'un coup de baguette magique... Mais ne

se présentait-elle pas sur son blog comme une princesse de conte de fées ? Il lui suffisait d'apparaître pour faire régner la joie et la beauté.

— J'aimerais voir votre bureau, l'endroit où vous filmez vos vidéos.

Maintenant qu'elle avait éveillé sa curiosité, il voulait connaître les coulisses.

Elle s'agita nerveusement et tira sur sa ceinture de sécurité. Pendant une fraction de seconde, il eut l'impression qu'elle avait peur.

— Désolée… Pas aujourd'hui.

Qu'avait-elle à cacher ?

— En fait, j'avais prévu de vous emmener au zoo, reprit-elle avec vivacité.

— Au zoo ?

— Oui, pour vous montrer un bébé échidné. Ils sont si mignons !

— Cela ne m'intéresse pas vraiment.

— Vous savez au moins ce que c'est ?

— Une espèce de hérisson couvert de fourrure et de piquants, l'un des rares mammifères à pondre. C'est pour cela que vous portez des gants, pour ne pas vous salir en donnant à manger aux animaux ?

Elle se contenta de hausser les sourcils d'un air faussement innocent, pendant qu'il respirait à fond. Ils se trouvaient à peine à deux blocs de l'hôtel, et l'ambiance était déjà lourde, asphyxiante.

— Alors pourquoi avez-vous des gants par cette chaleur ? insista-t-il.

Elle hésita.

— Pour cacher mes ongles.

— Votre vernis n'est pas en harmonie avec la couleur de la voiture ? railla-t-il.

Elle se pencha vers lui avec un air de conspiratrice.

— Je vais vous confier un secret… J'ai la fâcheuse manie de me ronger les ongles, et je n'ai pas eu le temps d'aller chez la manucure.

Sa franchise l'aurait presque ému s'il ne s'était agi, encore une fois, de camouflage. Il n'y avait rien de naturel chez cette femme.

— En dire juste assez pour éveiller l'intérêt, mais pas trop. C'est le genre d'astuces que vous recommandez à vos fans ?

Elle eut un sourire charmeur.

— Non seulement on suit mes conseils, mais on en redemande.

Jack comprenait pourquoi elle était si populaire. Elle écrivait bien, ses listes étaient amusantes. Mais c'était surtout ses vlogs qui suscitaient le plus grand nombre de commentaires.

Il sauta du coq à l'âne.

— Vous vous passionnez pour les animaux et la vie sauvage ?

— Comme tout le monde. En Australie, il y a des espèces uniques au monde. Vous devriez profiter de votre séjour pour voir quelques spécimens. Nous avons par exemple un magnifique crocodile de mer qui ne ferait qu'une bouchée de vous !

Il rit doucement.

— Je suis plus coriace que j'en ai l'air.

— Ah bon ? Où voulez-vous aller, si le zoo ne vous intéresse pas ?

N'importe où. Pourvu que ce soit avec vous.

Il la regarda longuement, la dévorant littéralement des yeux, avec un désir de plus en plus irrépressible de l'embrasser, de lui faire l'amour.

24

L'activité sexuelle lui permettait généralement de tout oublier. L'épuisement physique avait raison de ses insomnies, et il pouvait alors dormir au lieu de rester des heures et des heures éveillé, rongé par l'angoisse.

Ce n'était pas une si mauvaise idée…

Non. C'était la pire qui soit ! Jamais il n'avait couché avec une relation d'affaires.

Steffi Leigh lui avait servi de prétexte pour entreprendre ce voyage en Australie. Il tenait à évaluer par lui-même le potentiel de sa future acquisition. Selon leur habitude, ses frères l'avaient taquiné, lui reprochant de trop travailler… En réalité, il poursuivait un objectif beaucoup plus personnel, qu'il ne voulait pas dévoiler à sa famille pour ne blesser personne. Pas avant d'avoir acquis des certitudes, en tout cas.

— Jack ?

Stephanie s'inquiétait de son long silence. Se forçant à réagir, il enleva sa veste et la jeta sur le siège arrière. Puis il ôta sa cravate et ses boutons de manchette, ouvrit son col de chemise et remonta ses manches.

— Vous permettez ? Il fait tellement chaud…

— Je vous en prie.

Inexplicablement, elle s'empourpra.

Son portable sonna de nouveau. Il se contorsionna en soupirant pour le récupérer dans la poche de sa veste et lire le message. Son détective privé lui avait obtenu son rendez-vous.

L'anxiété lui comprima brusquement la poitrine. Il grinça des dents. Il avait voyagé dans le monde entier, traversé des pays en guerre et des zones dangereuses, des déserts arides et des étendues glacées. Pourtant, jamais il n'avait eu aussi peur que maintenant, à l'annonce de cette rencontre qu'il attendait depuis plus de vingt ans.

Il fallait encore tenir quarante-huit heures. Quelle torture ! Il devait trouver un moyen d'accélérer le temps ou de penser à autre chose. Sans cela, il allait devenir fou.

Il contempla la superbe femme blonde assise à côté de lui, avec son chignon impeccable et son teint de poupée, ses lèvres rouges et sa silhouette parfaite dans sa jolie robe vert menthe.

Elle était encore mieux que sur sa photo de profil — sans doute à cause de l'étincelle qui brillait dans ses yeux, et aussi du mystère qu'elle entretenait.

Elle l'attirait et l'irritait en même temps.

Oui, il ferait absolument n'importe quoi pour ne pas penser à l'épreuve qui s'annonçait. Il était prêt à tout.

Cependant, il ne s'agissait pas uniquement de lui. Il voulait aussi découvrir la vraie nature de Stephanie, alias Steffi Leigh, la voir rougir sans artifice, rire sans retenue, crier de plaisir… Il voulait être celui qui lui arracherait son masque.

Mais, s'il continuait à se laisser glisser sur cette pente dangereuse, elle le poursuivrait bientôt pour harcèlement sexuel…

Il fallait qu'il se maîtrise.

Ce ne devrait pas être trop difficile ; il n'était pas frustré. Il avait de nombreuses aventures, avec des femmes qui ne savaient pas qui il était. Quand elles l'apprenaient, il rompait aussitôt, mais ces brèves histoires lui permettaient d'échapper à la réalité.

C'était précisément ce dont il avait besoin en ce moment, même s'il n'était pas, comme ses frères George et James, un séducteur invétéré.

Il ne leur ressemblait pas et en souffrait. Parce qu'il n'était pas un Wolfe, justement.

Son téléphone sonna une fois encore. Il jeta un coup d'œil à l'écran. C'était son frère.

— Vous ne répondez pas ? demanda Stephanie avec une expression intriguée.

— Non.

George percevrait forcément son anxiété, et il n'avait pas envie de lui en expliquer les raisons.

Ce fut au tour du portable de Stephanie de se manifester.

— Vous permettez ?

— Je vous en prie.

Elle tapa un texto et il attendit qu'elle ait terminé.

— Vous ne vous déconnectez jamais ? Vous êtes toujours disponible ?

— Seulement pour mes proches et mes followers, les gens qui aiment ce que je fais.

— Vous jouez la comédie, avec ce personnage de Steffi Leigh ?

Une ombre voila le regard de Stephanie.

— Je crois en ce que je fais.

A en juger par sa popularité, elle était très convaincante. Son audience dépassait l'Australie, atteignant des millions d'abonnés partout dans le monde, surtout des jeunes femmes. Steffi Leigh postait des listes sur tous les sujets : comment s'habiller, se maquiller, quels films voir. Où sortir, quoi manger, dans quels restaurants… Elle laissait aussi des commentaires sur les toilettes des célébrités pendant la saison des Awards.

Son blog s'adressait essentiellement à des jeunes citadines branchées, précisément le public que la maison d'édition de Jack souhaitait conquérir.

Personnellement, il ne supportait pas cette effervescence puérile et superficielle ; il n'avait même pas pu regarder une vidéo jusqu'au bout. Mais il se fiait à l'avis des publicitaires avertis. Steffi Leigh était tendance, un must. Et elle gagnait assez d'argent pour vivre de ses publications.

Malgré tout, l'offre qu'il lui avait faite l'intéressait. Pourquoi ? A cause des folles dépenses que son standing et son style de vie entraînaient ?

Il n'avait plus envie de tourner autour du pot. Il voulait aller droit au but et comprendre ce qui la motivait.

— Et si c'était moi qui vous emmenais quelque part ? lança-t-il.

— Pour l'instant, nous n'allons nulle part, railla-t-elle. Et nous sommes en stationnement interdit.

Il se décida brusquement. Quel homme aurait résisté à une escapade avec une jolie femme dans une déca-potable *vintage* ?

— Notre promenade va durer un peu plus longtemps que prévu, annonça-t-il sans l'ombre d'un remords. Mais cela en vaut la peine.

La façade polie de Stephanie se craquela.

— Désolée. Je ne peux pas prolonger notre entrevue au-delà de ce qui était prévu.

— Pourquoi ? Vous avez un rendez-vous ? On vous attend pour un vernissage ou l'ouverture d'un nouveau restaurant ?

— Non, mais…

— Alors il n'y a aucun problème, la coupa-t-il sans lui laisser le temps d'argumenter. Enfuyons-nous tous les deux.

— Je n'ai pas besoin de m'évader.

— Je ne vous crois pas. Tout le monde rêve d'échapper au quotidien.

Elle fronça les sourcils sans répondre.

— Vous voulez vraiment me vendre votre blog ? demanda-t-il.

— C'est du chantage ?

— Pas du tout. Nous aurons tout le temps d'en discuter.

Elle hésitait encore.

Il n'avait pas l'habitude qu'on lui résiste. Tout le monde acceptait toujours ses propositions. Il avait du pouvoir, de l'influence, et beaucoup d'argent.

— Je connais un havre de paix qui vous plaira certainement.

Normalement, il n'avait une réservation que pour le lendemain, mais cela devrait pouvoir s'arranger sans problème.

— Et qui ferait un excellent sujet de vlog, ajouta-t-il. Vous me montrerez comment vous filmez vos vidéos pour les mettre en ligne.

A vrai dire, Green Veranda était un endroit très élitiste qui ne convenait ni pour le blog de Steffi Leigh ni pour les guides touristiques Wolfe. Il s'adressait à une clientèle people richissime à laquelle il garantissait une discrétion absolue, et une solitude jalousement préservée.

Mais, pour l'instant, il n'avait pas envie d'être seul.

— Quel est cet endroit, exactement ? demanda Stephanie.

— Une suite luxueuse, loin de tout et hors du temps. Jusqu'à demain matin.

— Toute la nuit ? s'exclama-t-elle, horrifiée.

Il se mit à rire en voyant sa réaction. Manifestement partagée entre le oui et le non, elle livrait une petite guerre intérieure. Il eut même l'impression d'entendre les battements précipités de son cœur.

— Bien sûr, répondit-il tranquillement en redémarrant. De toute façon, vous n'avez pas le choix. Je vous kidnappe.

3.

Jack Wolfe n'avait pas besoin de chloroforme, ni de charme, pour parvenir à ses fins. Il avait beaucoup d'argent.

Pour Stephanie, ce n'était pas à dédaigner, d'autant plus qu'il n'hésitait pas à jouer de cet avantage. Il était beaucoup plus impulsif qu'elle ne l'aurait cru au premier abord.

Naturellement, elle n'avait aucune intention de passer la nuit avec lui.

Ses idées étaient un peu confuses, à cause de la chaleur, mais aussi de la proximité physique de cet homme qui la troublait. Il avait les bras musclés et des mains larges, puissantes, qui la captivaient.

Tout semblait si facile, avec lui... Leur escapade avait le goût du fruit défendu. Même si elle ne devait durer que une heure ou deux, elle se promit d'en savourer chaque instant.

— Puisque je n'ai pas le choix..., murmura-t-elle.

Il eut un sourire détendu et insouciant, absolument irrésistible.

— Stephanie... Nous avons toujours le choix, non ?

Elle humecta ses lèvres sèches. Elle pouvait encore dire non, exiger qu'il fasse demi-tour et la ramène immédiatement à l'hôtel. Si elle insistait, il ne refuserait pas.

Mais, si elle ne cédait pas à son caprice, elle n'aurait plus aucune chance de négocier le contrat.

Elle le regarda et le temps suspendit son cours. Une sorte de communication instinctive s'était établie entre eux, avec une densité incroyable. Une *fascination* stupéfiante. Sa mère avait-elle ressenti la même chose en se jetant à corps perdu dans sa dernière aventure ?

L'acuité de ses sensations lui répugnait presque. Elle frissonna.

Inspirant profondément, elle recouvra l'usage de la parole et répondit à sa question par une autre.

— Vous savez où vous allez ?

— Vaguement.

Il était suprêmement séduisant, et manifestement très content de lui.

Tandis qu'il accélérait sur l'autoroute, Stephanie eut l'impression d'assouvir un délicieux fantasme. Elle rêvait depuis des années de partir au hasard, pour une destination inconnue. Une sensation de plaisir l'envahit. Quel bonheur de se lancer dans l'inconnu !

Sauf que son premier et dernier voyage avait failli détruire ce qui lui restait de famille.

Dan…

Des souvenirs douloureux la glacèrent. Tandis qu'elle se remémorait ses erreurs passées, le goût acide du regret lui emplit la bouche.

Elle se sentait responsable du handicap de son frère, dont les rêves de gloire s'étaient brisés d'un coup. Du jour au lendemain, le champion d'athlétisme s'était retrouvé en fauteuil roulant. Il lui incombait maintenant d'assurer à Dan un avenir meilleur.

Voilà pourquoi elle avait accepté ce rendez-vous avec Jack Wolfe.

Mais elle était là pour négocier un contrat, pas pour flirter. Il ne fallait pas succomber à son pouvoir de séduction. Elle devait se concentrer, et aussi vérifier que tout allait bien à l'appartement.

Ses doigts se crispèrent sur son portable. Elle allait envoyer un texto à Dan et un autre à Tara pour se rassurer.

Il n'était pas question qu'elle parle de son frère à Jack. Elle ne voulait surtout pas susciter sa pitié, ni lui montrer à quel point elle avait besoin d'argent.

Malgré tout, pour Dan, elle était prête à tout.

Pendant qu'elle composait son message, Jack reçut un autre coup de fil, qu'il ignora en appuyant sur la pédale de l'accélérateur.

— Parlez-moi de votre blog, dit-il d'une voix forte pour couvrir le bruit de la sonnerie. Vous proposez essentiellement des listes, n'est-ce pas ?

— Oui, c'est ainsi que tout a commencé.

D'ailleurs, son site s'intitulait encore *La Liste*. Au début, elle écrivait des commentaires amusants sur les mille et une absurdités du quotidien. Puis les thèmes s'étaient diversifiés.

— Parce que c'est accrocheur ? poursuivit-il. « Dix façons de porter un débardeur », par exemple ?

— Cela plaît aux gens parce que c'est simple, rigolo et facile à lire.

— Vous en avez sur tous les sujets ?

Elle rougit en décelant une pointe de moquerie, mais ne mordit pas à l'hameçon et garda un ton neutre, totalement détaché.

— Oui ! lança-t-elle d'une voix haut perchée, dans le plus pur style Steffi Leigh. Cela m'aide à m'organiser.

— Vous avez une liste des objectifs que vous voulez atteindre dans la vie ?

— Tout comme vos voyageurs en ont une des endroits à visiter dans les pays où ils se rendent.

— Je serais curieux de la lire.

— Oh ! elle est très banale !

— Cela m'étonnerait. Vous n'êtes pas quelqu'un d'ordinaire.

— Merci. Je prends cela comme un compliment.

— Vous n'avez sûrement pas que des admirateurs. Comment réagissez-vous à vos ennemis ?

— Je les ignore.

— Est-ce vraiment aussi simple ?

— Pour être tout à fait honnête, je laisse à mes fans le soin de leur répondre. Avant, je le faisais moi-même, mais cela me prenait trop de temps.

— Vous lisez tout de même leurs remarques ?

— Oui.

— Cela ne vous atteint pas ?

Elle afficha un sourire déterminé.

— Non. Les commentaires positifs sont largement plus nombreux. C'est à eux que je pense lorsque je mets mon travail en ligne.

Ce blog, elle avait d'abord lancé pour s'amuser, puis il avait rapidement gagné en audience. Mais, depuis la maladie de Dan, elle avait du mal à soutenir le rythme. Pourtant, c'était une raison supplémentaire de le développer, car le nombre de visiteurs augmentait la valeur de sa plate-forme.

Elle attendit un peu, mais Jack continuait à ignorer la sonnerie de son portable.

— Comment décidez-vous du contenu ? Par stratégie ou simple caprice ?

Il l'observait à la dérobée.

— Je ne vous critique pas. J'essaie de comprendre les raisons de votre réussite.

Son succès lui paraissait-il tellement inconcevable ?

Comment pouvait-elle se sentir attirée par un homme aussi arrogant ?

Elle se réfugia derrière le masque enjoué et positif de Steffi Leigh.

— Vous savez, la mode et la futilité sont des sujets inépuisables, surtout quand on porte beaucoup d'attention aux détails, comme moi. Tout m'est prétexte. La coiffure, le maquillage, la décoration, les sorties…

— Ne vous dévalorisez pas. Ce n'est sûrement pas aussi facile que vous le dites.

Stupidement, cette remarque répandit un baume délicieux dans le cœur de Stephanie.

— Lequel de vos voyages avez-vous préféré ? reprit Jack.

Elle hésita en pensant à ses funestes vacances dans le Territoire du Nord. Pour une fois que Dan n'avait pas de compétition prévue, ils avaient pu partir tous les deux. Tout s'était déroulé à la perfection… jusqu'à ce que Dan ait cette terrible migraine accompagnée de fièvre. Elle avait adoré la beauté sauvage de ces vastes étendues, mais ne supportait pas d'évoquer ce souvenir poignant.

— J'adore Sydney !

— A cause des boutiques ?

— Oui, naturellement… C'est une très belle ville, avec une atmosphère électrique.

— Et en dehors de l'Australie ?

Elle haussa les épaules.

— Je ne suis pas beaucoup allée à l'étranger.

Jamais, en fait, même si sa mère vivait maintenant en France avec son troisième mari. Contrairement à elle, Stephanie ne suivrait jamais un homme au bout du monde en fuyant ses responsabilités. Dan avait besoin de quelqu'un auprès de lui ; elle ne lui ferait pas défaut.

Quand ils étaient partis dans la brousse de l'arrière-pays, Dan se remettait d'une mauvaise grippe et n'avait pas tout à fait reconstruit ses défenses immunitaires. Il était tombé malade alors qu'ils se trouvaient à des centaines de kilomètres de la ville la plus proche, et à plusieurs heures de toute assistance médicale.

Elle avait eu très peur. Son frère avait failli mourir, et il avait perdu un bras et une jambe à la suite de sa méningite. Sa carrière sportive s'était arrêtée brutalement, sonnant le glas de ses rêves de gloire et de fortune.

Elle se sentait terriblement coupable d'avoir organisé ce voyage et d'avoir insisté pour qu'il l'accompagne.

— Vous êtes au moins allée jusqu'à Queenstown, en Nouvelle-Zélande.

La voix de Jack la ramena à la réalité.

Queenstown ?

Cramoisie, elle se souvint d'un mail envoyé par une amie de lycée, dont elle s'était servie récemment. Il avait failli la prendre en flagrant délit de tricherie…

— Oui… Mais ce n'est pas bien loin. Je pensais à l'Europe.

— Hmm… En tout cas, le journal de voyage était très réussi.

Elle s'était contentée d'informations de seconde main, comme souvent. En fait, Steffi Leigh était une plagiaire qui utilisait des renseignements fournis par d'autres.

Il fallait qu'elle se montre plus vigilante. Si Jack Wolfe se rendait compte de l'imposture, il risquait de retirer son offre d'achat.

Tout en vérifiant l'écran de son portable, elle lui retourna la question.

— Et vous, quelle a été votre aventure la plus extraordinaire ? Vous en avez eu tellement…

Elle l'enviait.

— Dans ma famille, il est de coutume de prendre une année sabbatique pour voyager. Avec juste un sac à dos et quelques centaines de dollars en poche.

— Vraiment ? A la dure ? plaisanta-t-elle.

— Tout à fait.

Waouh !

Sa curiosité piquée, elle se tourna vers lui.

— Où êtes-vous allé ?

— Pas aussi loin que mes frères. Essentiellement en Asie du Sud-Est, dans un petit village d'Indonésie.

— Pour travailler ?

— Comme bénévole, dans un orphelinat.

— Les causes humanitaires sont très à la mode, ironisa-t-elle avec une pointe de jalousie.

— Je ne croyais pas Steffi Leigh aussi cynique. Est-ce vraiment abominable d'aider les autres ?

Comme elle ne pouvait pas retirer ses paroles, elle resta dans le ton.

— Maintenant que vous vous êtes fabriqué une bonne conscience, vous pouvez passer le reste de votre vie dans des palaces cinq étoiles.

— Vous avez la moquerie bien facile ! Vous-même, avez-vous des activités caritatives ?

— Naturellement.

Je me dévoue entièrement à mon frère.

— Je participe à des cocktails ou des galas de bienfaisance, à des ventes aux enchères au profit de diverses ONG…

Ce qui était complètement faux.

Elle changea abruptement de sujet.

— On vous appelle encore. Vous ne répondez pas ?

— Non. Cela vous dérange ?

— Ce n'est pas très poli pour ceux qui cherchent à vous joindre.

— Qui de nous deux est le plus impoli ? Vous n'arrêtez pas d'envoyer des textos alors que vous êtes en pleine conversation avec moi. Vous êtes complètement accro à la communication. Avez-vous vraiment besoin de vérifier votre popularité toutes les deux minutes ?

— J'ai seulement prévenu Tara que je serais un peu en retard pour éviter qu'elle s'inquiète.

Elle marqua une pause. En tout cas, quelqu'un insistait vraiment beaucoup pour parler à Jack Wolfe.

— C'est peut-être important, reprit-elle quand la sonnerie recommença.

— Au cas où vous ne l'auriez pas remarqué, je suis en train de conduire !

— Vous voulez que je réponde ?

A son grand étonnement, il la prit au mot avec un large sourire.

— Ce serait vraiment gentil à vous.

Elle décrocha.

— Pourrais-je parler à Jack ?

Une femme. Elle s'en serait doutée…

— Il est au volant. Je peux lui transmettre un message ?

— Oui, s'il vous plaît. Je suis Bella.

Quel joli prénom pour une maîtresse ! Elle était probablement grande, mince et sophistiquée.

— Le conseil d'administration attend son compte rendu le plus vite possible. Je ne l'aurais pas dérangé si ce n'était pas urgent.

Ah ! C'était sa secrétaire.

— Son imprimeur italien veut absolument lui parler, poursuivit-elle. Pour le reste, je lui ai envoyé un mail sur sa boîte privée. S'il pouvait me répondre quand il aura une minute, ce serait parfait.

— D'accord. C'est tout ?

— Non, répondit Bella en s'excusant. Le photographe free-lance téléphone tous les jours depuis jeudi dernier pour avoir son avis sur les clichés qu'il lui a envoyés. Oh ! et le couple qui prépare le guide des pistes cyclables en français s'est fait dévaliser et…

— Très bien, je transmettrai. Désolée, nous entrons dans un tunnel, la communication va être coupée. Au revoir !

Stephanie raccrocha et compta jusqu'à vingt avant de risquer un œil en direction de Jack.

— Je ne vois pas de tunnel à l'horizon, plaisanta-t-il.

— Hum. C'était Bella. Elle vous fait dire que…

— Ne vous inquiétez pas, j'ai tout entendu.

— Vous êtes très occupé.

— Oui. Autant que vous.

Il indiqua le portable de Stephanie qui vibrait. Immédiatement, elle se raidit, puis se détendit en lisant le texto de Tara.

Tout va bien ici. Ne t'inquiète pas et amuse-toi. A ta place, j'en profiterais.

Elle gloussa intérieurement et commença à taper la réponse.

— Seriez-vous capable d'oublier ce maudit téléphone pendant quelques heures ? maugréa Jack.

— Bien sûr.

— Alors ouvrez la boîte à gants et rangez-le à l'intérieur avec le mien. Et mettez-les en mode silencieux, par pitié !

— Vous êtes sérieux ?

— Absolument.

Impossible de faire une chose pareille ! Elle devait rester joignable pour le cas où il arriverait quelque chose à Dan. Même si Tara lui avait envoyé un message rassurant.

— Et je vous interdis d'y toucher pendant les six prochaines heures.

— Six heures ? répéta-t-elle, affolée.

— Oui. Le temps d'arriver à destination, de profiter un peu des lieux et de revenir.

C'était mieux que de passer la nuit…

— Le premier qui craque a perdu.

— C'est-à-dire ?

Il eut un sourire ravageur.

— Interrogez-vous plutôt sur la récompense du gagnant.

— Eh bien ?

— A votre avis ?

Devant son air narquois, elle battit en retraite.

— Je déteste les propos équivoques, monsieur Wolfe.

Il se mit à rire.

— Ne craignez rien ! J'ai seulement envie d'un baiser. Et appelez-moi Jack.

— Non, monsieur Wolfe.

Elle le foudroya du regard. Comment pouvait-il dire des choses aussi inconvenantes ? Malgré tout, elle trouvait l'idée terriblement tentante…

— Sans mentir, la pensée ne vous a pas effleurée ? lança-t-il malicieusement.

— Vous vous croyez irrésistible ?

— Je ne vous plais pas ?

— Vous êtes vraiment imbu de vous-même ! Le pouvoir vous monte à la tête.

— Pourtant, c'est vous qui êtes en position de supériorité. Vous avez quelque chose à me vendre, non ?

Son blog… Oui, il avait raison. Elle devait rester maîtresse de la situation.

Affreusement embarrassée, incapable de répondre, elle fourra les téléphones dans la boîte à gants, qu'elle referma d'un geste brusque. Puis elle serra les poings. A la maison, son ordinateur était toujours branché. Elle s'imaginait mal survivant sans Internet, mais elle devait relever le défi.

— Et vous, qu'exigerez-vous en récompense, si vous gagnez ? demanda-t-il avec désinvolture.

Oh ! elle lui ferait payer cher ce sacrifice !

— Je vous imposerai une corvée horriblement pénible. Par exemple, déplacer un tas de bois et le remettre ensuite à sa place.

— Totalement inutile et ennuyeux, non ?

— Et pour vous empêcher de vous arrêter, même une minute, je ne vous quitterai pas des yeux.

— Quelle drôle d'idée !

Comme il lui jetait un regard curieux, elle fouilla dans son sac et sortit ses lunettes de soleil pour se cacher, en ignorant son rire triomphant.

Pendant les trois quarts d'heure suivants, réfugiée derrière le masque de Steffi Leigh, elle lui raconta une multitude d'anecdotes divertissantes, toutes survenues quand elle avait commencé à tourner ses vidéos, avant la maladie de Dan. Jack l'écouta en silence, sans poser de questions.

La fatigue commençant à se faire sentir, elle finit par se taire. Elle avait largement battu son record de deux minutes ! Plus ils s'éloignaient de la ville, plus elle se détendait, et moins il lui semblait impératif de jouer son personnage. La chaleur du soleil la caressait agréablement, et le vent sur son visage la calmait.

Plus de téléphone. Plus d'Internet. Plus de contacts. Plus de soucis ! Juste la route qui s'étendait jusqu'à l'horizon, et la liberté.

Le coude nonchalamment posé sur la portière, elle étudia pensivement l'homme assis au volant. A un moment, il se tourna à demi pour lui sourire. Gentiment, sincèrement.

Elle fondit et lui rendit son sourire sans réfléchir, et sans parler. Il n'y avait rien à dire. C'était un moment parfait.

Peu à peu, une douce torpeur la gagna, et elle s'assoupit.

4.

Il faisait trop sombre. Elle ne voyait rien... Elle entendait seulement ses appels au secours, puis le bruit sourd d'une chute. Il était incapable de se relever, et elle n'avait pas la force de le soulever. Ils étaient seuls tous les deux, désespérément seuls.

— Dan, je t'en prie... Essaye encore, s'il te plaît ! le supplia-t-elle.

— Steffi ?

Une voix grave l'arracha à la nuit.

Elle se redressa si brusquement que la ceinture de sécurité se bloqua, la coinçant contre le siège.

— Tout va bien, beauté ?

Penché vers elle, Jack Wolfe la scrutait avec une inquiétude mêlée d'une autre émotion indéfinissable. Quand il posa une main sur son épaule pour la rassurer, le cœur de Stephanie se mit à battre la chamade.

— Normalement, la Belle au bois dormant ne fait pas de cauchemars.

Elle tressaillit en recouvrant ses esprits. Mortifiée de s'être endormie, elle se demanda ce qu'elle avait bien pu raconter dans son sommeil. Horriblement gênée, elle lissa une mèche de cheveux pour se donner une contenance.

— Détendez-vous, princesse. Vous êtes absolument parfaite, même quand vous dormez.

Un peu réconfortée, elle esquissa un sourire, mais Jack la considérait toujours avec curiosité. L'atmosphère lui parut tout à coup étouffante, et elle se sentit entraînée dans un tourbillon brûlant qu'elle ne maîtrisait pas.

Elle se racla la gorge avec un regain d'embarras.

— Quelle heure est-il ?

— Le moment n'est pas encore venu de récupérer votre téléphone, la taquina-t-il. Et il n'est pas minuit. Donc, la voiture ne va pas se transformer en citrouille…

— De toute façon, je ne suis pas Cendrillon.

Elle n'avait pas de méchante belle-mère qui lui voulait du mal, seulement un frère vulnérable et dépendant.

— Tant mieux, parce que je ne suis pas le prince charmant.

Elle ne manqua pas de prêter un sens caché à ces paroles. Même s'ils étaient manifestement très attirés l'un par l'autre, il n'y avait rien de durable à espérer.

Elle chassa résolument cette idée de son esprit.

— Nous sommes arrivés ?

— Presque. Je me suis juste arrêté pour vous réveiller.

Elle regarda autour d'elle. Une forêt majestueuse s'étendait à perte de vue, avec de magnifiques arbres plusieurs fois centenaires et de hauts bouquets de fougères. A part le chemin sur lequel ils se trouvaient, il n'y avait pas trace humaine.

— Vous êtes sûr d'être sur la bonne route ? demanda-t-elle.

— Tout à fait.

Il redémarra et ils roulèrent encore pendant une dizaine de minutes, s'enfonçant davantage dans ce monde perdu, comme s'ils pénétraient dans un paradis défendu, loin de la civilisation.

— C'est beau, n'est-ce pas ? dit-il.

Elle se contenta de hocher la tête. Les mots lui manquaient pour exprimer ses impressions.

La route s'élargit soudain pour déboucher sur une vaste clairière, au fond de laquelle se dressait un superbe édifice en bois à étage, aux proportions harmonieuses.

Une galerie peinte en vert courait tout autour, se fondant avec la végétation. Baignant dans la lumière déclinante de la fin d'après-midi, le bâtiment ressemblait à un mirage, comme surgi du néant ou de l'imagination d'un metteur en scène de film fantastique.

— C'est extraordinaire ! s'exclama Stephanie tandis que Jack se garait. On se croirait au bout du monde.

— Exactement. L'isolement donne tout son prix à cette retraite paisible et silencieuse ; on a l'assurance de n'être dérangé par personne. L'endroit est absolument génial. Et attendez de voir la piscine !

Gagnée par son enthousiasme communicatif, Stephanie jeta un long regard autour d'elle et le suivit sur les marches du perron.

— Il n'y a pas de réceptionniste ou de concierge ? s'étonna-t-elle.

— Non. J'ai prévenu de mon arrivée, cela suffit. Comme j'ai déjà séjourné ici, je sais comment cela fonctionne. La maison est à nous pour la nuit.

Elle fronça les sourcils. Quand avait-il pris ces dispositions ? Cette escapade n'était pas du tout prévue…

— Venez ! lança-t-il de l'intérieur.

Intriguée, elle ne résista pas. Un magnifique tapis recouvrait en partie le parquet ciré, et des tableaux aux teintes vives apportaient des notes de couleur aux murs blancs, notamment une grande peinture abstraite au-dessus de la cheminée. Une bibliothèque remplie de livres occupait tout un pan de mur, du sol au plafond. La pièce respirait la tranquillité, avec un canapé et des fauteuils tapissés de chintz jaune paille. Par la porte entrouverte, on apercevait la chambre à coucher, lumineuse.

— La piscine est par là, dit Jack en s'approchant d'une fenêtre.

Elle était aménagée comme un bassin naturel, et la transparence de son eau turquoise invitait à la baignade. Sur l'un des côtés, sous un dais qui protégeait du soleil et des regards indiscrets, se trouvait un grand lit de repos garni de coussins moelleux. L'ambiance des lieux était indéniablement romantique.

— C'est un refuge pour couples en mal de solitude, déclara Stephanie, mal à l'aise. Où sommes-nous exactement ? Dans un spa avec salon de massage et cure de jouvence en prime ?

— Vous avez quelque chose contre les massages ? demanda Jack d'un ton amusé. C'est pourtant tout à fait votre style.

Elle haussa les épaules.

Quand il se dirigea vers la chambre, toutes sortes d'images torrides se présentèrent à l'esprit de Stephanie, qui préféra se réfugier sur la galerie. Ignorant deux fauteuils en osier qui se faisaient face, elle s'accouda à la balustrade.

— Si vous ne faites pas de bruit, vous verrez peut-être un de vos chers échidnés, dit Jack en la rejoignant.

Elle se retourna vers lui en s'efforçant de ne pas trahir son tumulte intérieur. Le décor de cette villégiature étonnante produisait sur elle des effets difficiles à contrôler.

— Je croyais que les animaux ne vous intéressaient pas !

— Pas dans les zoos. Je n'aime pas les milieux artificiels. Mais on apprend des tas de choses en les observant dans leur habitat naturel.

Y avait-il un double sens dans ses propos ? Elle y vit une allusion à son blog…

— Même si vous n'avez pas envie de me livrer vos secrets, je finirai par les découvrir, ajouta-t-il comme s'il lisait dans ses pensées.

— Je n'ai pas de secrets.

Il s'assit dans l'un des fauteuils avec une fausse nonchalance. Il donnait l'impression d'un prédateur prêt à fondre sur sa proie.

— Tout le monde en a. Vous autant que les autres.

Elle se figea, puis se défendit en attaquant.

— Confiez-moi l'un des vôtres.

Il soutint son regard.

— Dans deux jours, je dois avoir un entretien que j'ai attendu toute ma vie, mais que je redoute infiniment.

La confidence avait créé une intimité qu'il était difficile de rompre.

— Avec qui ? demanda-t-elle en se rappelant l'expression de désarroi qu'elle avait surprise sur ses traits.

— Je ne vous dirai rien de plus. Sauf si vous me révélez vous aussi quelque chose.

C'était hors de question. Sinon, il ne voudrait plus lui acheter son blog.

— Cet endroit ferait un fantastique sujet de reportage, reprit-elle en changeant brusquement de sujet, en mode Steffi Leigh.

Il prit une pose décontractée.

— Sous quel angle l'aborderiez-vous ?

— L'exclusivité, bien sûr. Ce genre de sanctuaires ne s'adresse pas au consommateur moyen. Je pourrais aussi dresser une liste de tous les détails de décoration raffinés. C'est un lieu délicieusement paisible…

— En effet. J'abats généralement une somme de travail considérable, quand je viens ici.

Elle s'écarta.

— Je devrais vous laisser tranquille.

Il la rattrapa par le poignet.

— Et si j'avais envie d'autre chose ?

Captive, elle s'immobilisa.

— Si je ne voulais pas être seul, ce soir ?

— Dans ce cas, il fallait rester en ville, répliqua-t-elle, la gorge sèche.

— Sauf si vous êtes d'accord pour me tenir compagnie.

— J'ai déjà décliné votre invitation, lui rappela-t-elle le plus froidement possible.

— Vous êtes trop fatiguée pour rentrer en conduisant. Vous vous êtes endormie pendant le trajet.

Il resserra imperceptiblement la pression de ses doigts.

— Restez ici, avec moi.

— Non.

Elle ne céderait pas à son pouvoir de séduction. De toute manière, elle n'avait rien apporté, ni vêtements de rechange ni maquillage. Rien. Surtout, il lui manquait sa fidèle Tara pour opérer la métamorphose. Seule, elle était incapable de créer son personnage. Steffi Leigh disparaîtrait à la seconde même où elle plongerait dans la piscine…

— Je vous reconduirai demain matin, insista-t-il.

Il était inconcevable d'accepter. Pourtant, elle s'entendit demander, comme malgré elle :

— Combien de chambres y a-t-il ?

Il eut un sourire ironique, et la lâcha.

— Deux. Mais nous serons obligés de partager la salle de bains. Venez voir.

Quand il se leva, sa stature imposante l'impressionna. Il produisait décidément sur elle un effet dévastateur… Au bout d'un moment qui parut interminable, il rentra et elle le suivit lentement.

La salle de bains, à l'étage, était encore plus extraordinaire que tout le reste. Une immense baie vitrée ouvrait directement sur la forêt luxuriante, un vrai jardin d'Eden.

— Le verre est spécialement teinté, expliqua Jack. On ne voit absolument rien de l'extérieur. Seulement le reflet des arbres.

Baissant les yeux sur la baignoire, assez grande pour deux personnes, elle s'imagina dans un bain de mousse parfumée, en train de contempler le paysage… dans les bras de Jack Wolfe.

Cela faisait si longtemps qu'elle ne s'accordait plus de loisirs ni de moments de détente ! Cet endroit et cet homme représentaient une tentation irrésistible.

Tout à coup, ses forces l'abandonnèrent et les pulsions érotiques qu'elle refoulait depuis le début de l'après-midi eurent raison de ses velléités de prudence. Un désir fou la submergea.

Depuis le seuil, Jack la considérait avec une expression perplexe et incrédule. Elle paraissait subjuguée, comme si elle n'avait jamais vu un tel luxe, ce qui manquait totalement de cohérence, étant donné le blog qu'elle tenait.

Il la détailla avec attention. Pour quelqu'un qui revenait de Nouvelle-Zélande et se targuait d'avoir nagé avec les dauphins, elle avait les jambes étonnamment blanches.

Mais peut-être avait-elle passé plus de temps devant son ordinateur que dans l'eau…

Peu lui importait. Son sourire et ses yeux bleu-vert étaient pleins de promesses sensuelles. Son vernis de « fashionista » s'était vite craquelé, et son regard trahissait un appétit charnel identique au sien.

Il faillit lui suggérer sur-le-champ d'enlever sa robe pour prendre un bain. Il lui savonnerait alors doucement le corps pour l'aider à se détendre… Cependant, malgré les étincelles qui brillaient dans ses prunelles, il savait que c'était trop tôt. Elle était nerveuse et craintive. La vulnérabilité qu'il avait découverte en elle, quand elle s'était endormie dans la voiture, l'avait surpris. Son look, savamment composé, n'était qu'un masque derrière lequel elle se cachait. L'assurance et l'aplomb qu'elle cherchait à projeter n'existaient pas vraiment. Elle avait même appelé au secours dans son sommeil.

Pourquoi ?

Il savait reconnaître les gens qui se tenaient sur leurs gardes de peur de devoir partager un secret. Leur regard devenait fuyant, et ils changeaient brusquement de sujet de conversation… Ses parents se comportaient ainsi avec lui depuis des années. Même si c'était par amour, pour le protéger, il en souffrait.

Cela l'avait rendu méfiant.

Un simple coup de téléphone lui aurait permis d'avoir des renseignements à son sujet, mais il ne voulait pas les obtenir de cette manière. Il préférait que Stephanie parle d'elle-même.

De toute façon, la plupart des gens luttaient contre leurs propres démons. Pour le moment, c'était sans importance. Ils pouvaient tous les deux s'offrir le luxe de leur échapper pendant quelques heures merveilleuses.

Dès l'instant où il avait posé les yeux sur cette femme, elle l'avait captivé. Et la lueur qui éclairait son regard le confortait dans son impression qu'ils partageaient le même désir.

Formidable d'intensité…

— Vous avez faim ? demanda-t-il tandis qu'ils regagnaient le rez-de-chaussée.

Elle sursauta et il réprima un sourire. Oui, elle était un peu craintive, mais ce n'était pas pour lui déplaire. Comme un chasseur, il aimait guetter sa proie et s'en rapprocher petit à petit. Tôt ou tard, il la séduirait.

Le coup de téléphone de Bella ne le préoccupait pas. Pour une fois, les affaires courantes attendraient. Il voulait se concentrer sur le défi que représentait sa prochaine conquête.

— Vous voulez manger quelque chose ?

— Je ne…

— De la viande ? Du poisson ? Des légumes ? Vous suivez peut-être un régime particulier de peur de grossir ?

— Je ne peux pas rester, protesta-t-elle d'une voix enrouée.

Oh que si ! Et il se faisait fort de la convaincre.

Mais, plutôt que de la brusquer, il valait mieux souffler doucement sur les braises qui couvaient.

— Vous ne pouvez pas repartir sans vous sustenter un peu. Qu'aimeriez-vous ?

Une étincelle s'alluma dans ses yeux couleur d'émeraude.

— Surprenez-moi.

Dans le silence qui suivit, il lutta pour contrôler sa libido.

— Comment commande-t-on ? reprit-elle. Par téléphone ?

— Vous savez ce qui se passera si vous utilisez le vôtre…

Il avait très envie de gagner son pari stupide pour l'embrasser. Elle ne s'était pas rendu compte qu'il avait lui-même téléphoné pendant qu'elle dormait…

— Il y a un système d'interphone, expliqua-t-il enfin. Je vais m'en occuper.

Elle hocha la tête.

Ce ne fut pas long, à peine quelques minutes.

— Prenons un verre sur la galerie en attendant, suggéra-t-il. Un peu de champagne ?

— Non, merci. Pas avant de conduire.

Elle avait surtout peur de perdre ses inhibitions, songea-t-il avec satisfaction.

— Un jus de fruits, alors ?

— Oui, s'il vous plaît.

Elle se mordit la lèvre.

— Mais ne vous gênez pas pour moi.

— Je ne bois jamais d'alcool. Ma mère biologique se droguait. Je ne voudrais pas reproduire ses erreurs.

Cet aveu le surprit lui-même. Voulait-il la choquer ? Peut-être pour fissurer de nouveau sa façade trop parfaite ?

— Je suis désolée, murmura-t-elle.

— J'ai trouvé une drogue moins dangereuse avec les voyages, dit-il en souriant.

— Et le travail ?

— Pour moi, c'est la même chose. Et vous, vous êtes accro à Internet ?

— C'est vrai, admit-elle. Mais certaines dépendances sont pires que d'autres.

— En effet. Complètement destructrices.

Il se dirigea vers un petit réfrigérateur discrètement placé dans un coin.

— L'idéal serait de garder un juste équilibre, mais c'est difficile.

— Avec vous, c'est tout ou rien ? plaisanta-t-elle.

— Oui, je crois.

Comme il était séduisant ! Stephanie prit le verre qu'il lui tendait et s'installa dans l'un des deux fauteuils en osier. Le soleil déclinant jetait une lueur rouge orangé sur la cime des arbres et la surface de l'eau. Elle avait à peine bu une gorgée qu'il y eut un bruit de moteur.

— J'en ai pour une minute…, annonça Jack.

L'espace d'un fol instant, elle eut envie de capituler. Puis la raison et la prudence reprirent le dessus. Il fallait qu'elle se ressaisisse. Elle n'était pas comme sa mère, et n'avait pas pour habitude de céder aux avances de quasi-inconnus.

Elle devait s'en aller pendant qu'il en était encore temps.

Jack revint bientôt en poussant un chariot avec des plats en argent recouverts de cloches étincelantes.

Elle doutait de pouvoir avaler quoi que ce soit, mais changea vite d'avis quand il commença à ôter les cloches.

— J'en ai assez de la nourriture trop riche des restaurants, dit-il. De temps en temps, il vaut mieux revenir aux choses simples, vous ne croyez pas ?

Tout en contemplant les appétissantes compositions de viandes froides, de salades et de fruits, elle hocha la tête.

— Servez-vous, je vous en prie. Mais vous allez devoir enlever vos gants.

Elle s'exécuta un peu à contrecœur.

— Je ne mentais pas, pour mes ongles…

— Je n'ai jamais prétendu le contraire.

Il lui prit la main pour regarder le bout de ses doigts abîmés.

— Vous êtes très nerveuse ?

Il passa doucement le pouce à l'intérieur de sa paume, l'empêchant de serrer le poing. Avec un frisson, elle refoula l'image qui lui venait à l'esprit.

Elle n'avait pas beaucoup d'expérience mais, brusquement, en présence de cet homme, le sexe l'obsédait.

— C'est juste une mauvaise habitude dont je devrais me débarrasser, répondit-elle en se dégageant. Je n'ai pas eu le temps de me faire poser de faux ongles, ce matin.

— Vous étiez trop occupée avec votre blog ?

— Oui, j'y pense beaucoup.

— Il ne doit pas être facile de toujours trouver quelque chose à dire.

Elle mit une tranche de melon dans son assiette tout en l'observant à la dérobée. Soupçonnait-il quelque chose ? Avait-il deviné la vérité ? Elle dépendait presque entièrement de ses amies. En fait, elle vivait un peu par procuration et se contentait de broder sur les clichés et les petits textes qu'on lui envoyait.

Elle était dans l'imposture.

— Je devrais prendre quelques photos, dit-elle en jetant un regard circulaire.

— Attention à vous si vous touchez à votre téléphone !

Il se mit à rire en voyant son expression.

— Une journée sans mise à jour ne va pas vous porter tort. De toute façon, vous avez probablement pré-chargé du contenu pour une semaine. Ne vous inquiétez pas pour vos fans ; personne ne saura que vous passez la nuit avec moi.

Elle choisit d'ignorer la dernière remarque.

— Vous semblez très au courant de mon mode de fonctionnement.

— C'est mon job. Nous suivons votre blog de près depuis quelque temps.

— Le contenu vous plaît ?

— Surtout le nombre de vos abonnés. Vous touchez un public qui nous intéresse. Nous aimerions profiter de votre audience.

Il se tut un instant avant de poursuivre :

— Qu'y a-t-il de l'autre côté de la caméra ? Vos vidéos sont toujours tournées dans le même espace. Pourquoi ne changez-vous pas de décor ?

— Les gens aiment bien se retrouver dans un cadre familier.

— Et vous aussi, j'imagine. Sinon, vous auriez peur d'être déstabilisée, ou de paraître moins… parfaite ? Vos fans ne vous apprécieraient pas moins s'ils voyaient vos vrais ongles. Il ne faut pas avoir peur de la réalité.

— Mon site repose avant tout sur le besoin d'évasion.

— Vous en ressentez la nécessité ?

Pour ne pas répondre, elle changea de sujet.

— Comment s'appelle ce fruit bizarre ?

Il fronça les sourcils, mais n'insista pas.

Le reste du repas se déroula sans heurt, à bavarder avec légèreté. Cependant, l'anxiété de Stephanie grandissait. Elle devait s'en aller. Elle devait aussi s'assurer que tout allait bien pour Dan. Il dormirait probablement quand elle rentrerait, mais elle ne voulait pas s'inquiéter pendant tout le trajet.

Tandis que Jack remportait le chariot vers les employés invisibles, elle s'éclipsa sur la pointe des pieds jusqu'à l'endroit où était garée la voiture et sortit son portable de la boîte à gants. Elle n'avait aucun message, mais envoya un texto à Tara.

Je vais rentrer encore plus tard que prévu. Assure-toi

que Dan n'a pas de problème, s'il te plaît, et réponds-moi vite.

La réponse lui parvint presque aussitôt.

Prends tout ton temps. Pas de problème. Amuse-toi.

Fantastique !

Au moment où elle refermait doucement la portière, elle entendit un bruit de pas.

— Vous n'avez pas pu résister !

Elle se raidit, sur la défensive.

— J'ai des circonstances atténuantes.

— Non.

Il se rapprocha.

— Nous avons fait un pari. Vous avez perdu.

Un sourire flotta sur ses lèvres tandis qu'il ajoutait :

— Mais vous y gagnez aussi !

— Quelle arrogance !

Il se planta devant elle, les mains sur les hanches.

— Le moment est venu de payer votre dû, belle princesse.

— Vous n'êtes pas sérieux !

— Mais si.

Elle fit une dernière tentative.

— C'est complètement déplacé.

— Peut-être, mais nous avions un contrat.

Mieux valait se taire. Plus elle en dirait, plus il se montrerait déterminé. Elle garda donc le silence.

Elle subirait stoïquement sa punition, puis elle s'en irait.

Le menton levé, elle attendit en affichant un air indifférent. Il n'était pas question de lui faciliter les choses.

Une lueur de désir brilla dans les yeux de Jack. Partagée entre l'envie de s'enfuir en courant et celle de se serrer contre lui, elle retint son souffle.

Seulement, curieusement, il sembla hésiter. Elle vit un muscle tressauter sur sa joue, et s'arma de patience.

Un instant, elle crut qu'il allait tourner les talons sans rien faire. Puis, très doucement, il pencha la tête, mais sans la toucher, pour effleurer à peine sa pommette du bout des lèvres.

Ce n'était pas du tout le baiser qu'elle espérait !

Quand il s'écarta pour observer son expression, elle éprouva une vague déception. *C'était tout ?*

— Waouh…, fit-elle d'un ton moqueur.

Elle recula néanmoins pour s'appuyer contre la voiture car, en dépit de ce chaste baiser, elle avait les jambes tremblantes. Naturellement, sa réaction n'échappa pas à Jack.

— Je suis tout étourdie ! railla-t-elle pour donner le change.

Il rit doucement.

— Je sais. Je vous embrasserai mieux quand vous en aurez envie.

Désarçonnée, elle ne répondit rien.

— Stephanie ? reprit-il dans un chuchotement. Vous en avez envie ?

5.

Comme s'il ne connaissait pas déjà la réponse… Pourquoi hésitait-il alors que l'air, entre eux, vibrait de désir ?

Lui, en tout cas, avait eu très envie de l'embrasser. Il avait même fait ce pari stupide tout exprès, et il l'avait gagné. Alors pourquoi s'était-il retenu au dernier moment ?

Peut-être voulait-il s'assurer de son consentement, pour ne pas s'imposer. Ce qui était tout à son honneur.

— Quelle question…, murmura-t-elle en se haussant sur la pointe des pieds, les yeux rivés à sa bouche.

Elle pressa ses lèvres sur les siennes, mais perdit presque aussitôt le contrôle de la situation. Jack la prit dans ses bras et la serra contre lui, pour un baiser sensuel et passionné qui combla toutes ses attentes.

Cet après-midi n'aurait pas de suite ; elle ne nourrissait aucune illusion à ce sujet. L'un et l'autre avaient besoin d'une échappatoire, même si elle ne savait pas précisément ce que Jack cherchait à fuir. La seule chose sûre était cette force irrésistible qui les poussait l'un vers l'autre.

La nourriture raffinée et le décor merveilleux avaient émoussé ses défenses. S'abandonnant à l'instant, elle ferma les yeux.

Elle eut la sensation que ses os fondaient, que ses muscles s'amollissaient. Ses inhibitions tombèrent tandis qu'elle se noyait dans le monde enchanteur des sensations. Elle renversa la tête en arrière en se laissant aller davantage contre lui.

Tous ses soucis s'évanouirent, comme si la force et la chaleur qui émanaient de Jack possédaient un pouvoir magique. Il raffermit la pression de ses paumes sur ses reins, puis la caressa lentement en remontant le long de sa colonne vertébrale, éveillant de délicieux picotements dans tout son corps. Gagnée par une ardeur impétueuse, elle enfouit les doigts dans ses cheveux, les lèvres collées aux siennes, avec l'impression qu'elle ne se rassasierait jamais de lui.

Un fourmillement courut du sommet de son crâne à la plante de ses pieds. Elle était déjà prête à tout, impatiente de lui accorder tout ce qu'il lui demanderait, avide de se retrouver nue.

Leur baiser s'approfondit et s'intensifia, annihilant toute pudeur.

Le souffle court, elle s'accrocha à lui avec une sorte de désespoir. Elle voulait tout lui donner.

— Stephanie…, chuchota-t-il d'une voix rauque.

L'esprit confus, elle avait seulement peur que cela ne s'arrête…

— C'est… complètement fou, ajouta-t-il dans une espèce de grognement.

Ce n'était pas le mot qu'elle aurait choisi ou qu'elle voulait entendre. D'ailleurs, elle se sentait au-delà du langage, dans un univers où n'existaient que soupirs et gémissements, avant le basculement dans l'oubli.

Elle avait terriblement envie de connaître cela. Au moins une fois.

— Stephanie ?

Il la secoua doucement. Recouvrant un peu ses esprits,

elle entrouvrit les yeux. Il la regardait avec une intensité sauvage, comme s'il craignait de ne pas se maîtriser. Elle sentit ses doigts de pied se recroqueviller dans ses ballerines.

— C'est une mauvaise idée, dit-il.

Pourtant, en même temps, il continuait à se frotter contre son ventre. Soulagée, elle se mit à trembler.

— Oui.

Il fronça les sourcils.

— J'ai pourtant terriblement envie…

— Oui…

— … d'aller jusqu'au bout, acheva-t-il.

— J'avais compris, murmura-t-elle avec ravissement.

Il lui sourit.

— Mais… Je ne veux pas de complications.

— C'est parfait. Moi non plus.

La maladie de Dan avait mis un terme à la vie sentimentale de Stephanie, qui, de toute manière, n'avait jamais été très épanouie. Après l'échec de sa première relation amoureuse, elle avait résolu de se concentrer sur ses études et sa carrière. Cela faisait maintenant si longtemps qu'elle n'avait pas fait l'amour que sa sexualité était complètement endormie. Ce baiser l'avait réveillée brutalement, en ranimant des frustrations profondément enfouies.

Jack la considéra pensivement.

— Nous ne négocierons pas la transaction ici, à Green Veranda.

— C'est entendu, acquiesça-t-elle. Nous attendrons d'avoir regagné Melbourne.

Le personnage de Steffi Leigh semblait de toute façon bien loin en ce moment.

— Cette… escapade sort du cadre de nos relations

d'affaires et n'aura aucune influence sur ma décision finale, d'accord ?

Elle hocha la tête.

— C'est bien clair ? insista-t-il. Il n'y aura aucune suite, aucune conséquence.

— Tout à fait clair.

Cela lui convenait parfaitement. Pour rien au monde elle ne courrait le risque de se perdre corps et âme dans une liaison passionnée.

Comme Jack semblait réfléchir encore, elle s'agita nerveusement et s'obligea à respirer profondément pour se calmer. La violente attirance sexuelle qu'elle éprouvait lui faisait un peu peur, car elle devait garder la tête froide et ne pas oublier ses responsabilités.

Elle prit le visage de Jack entre ses mains et plongea son regard dans le sien.

— Je reste dix minutes et je m'en vais.

Il déposa un baiser au creux de sa paume, avec une expression amusée.

— Tu plaisantes ? Quelqu'un t'attend ?

— Non, personne, prétendit-elle en frissonnant. Il faut simplement que je rentre.

Il rit doucement.

— Je pense te faire changer d'avis.

Sans le moindre effort, il la souleva, avança un peu pour se rapprocher de la voiture et l'assit sur le capot en s'installant entre ses jambes.

Jamais elle n'avait éprouvé une telle impatience. C'était une pure folie ! Son corps réclamait l'assouvissement immédiat de ses pulsions, avec une avidité qu'elle ne se connaissait pas. Instinctivement, elle s'arc-bouta à sa rencontre.

Le visage de Jack Wolfe se découpait sur le ciel

bleu et lumineux. C'était certainement l'homme le plus séduisant qu'elle ait jamais rencontré, et il la regardait avec une fièvre qui la bouleversait.

— Dix minutes…, dit-il doucement.

Puis ils n'échangèrent plus aucune parole, seulement des baisers. Et des caresses. Dieu merci, elle n'avait plus à se tenir sur ses jambes, qui ne l'auraient pas portée. Elle frissonna au contact de la main de Jack sur sa taille ; sa bouche, au creux de son cou, la brûla. Il remonta légèrement le bas de sa robe sur ses cuisses, la remit en place, et recommença plusieurs fois, de plus en plus haut. En même temps, ses baisers descendaient le long de sa gorge vers son décolleté…

Incapable de dominer cet élan qui la poussait vers lui, elle se tendit de toutes ses forces. Un feu intense la ravageait intérieurement. Elle voulait tout, tout de suite.

Finalement, il reprit sa bouche avec une passion redoublée. Puis il releva la tête et riva son regard au sien en pressant son sexe contre elle.

— Reste avec moi cette nuit.

— Je ne peux pas, répondit-elle dans un frémissement.

Cinq minutes à peine s'étaient écoulées. Elle n'avait pas besoin de beaucoup plus pour arriver à la jouissance, et ne demandait rien d'autre que la satisfaction d'un plaisir partagé, même fugace.

De nouveau, Jack l'embrassa.

— Dors ici, avec moi, insista-t-il.

Son baiser passionné l'empêchait de répondre, de penser.

Il s'écarta légèrement et effleura de nouveau ses cuisses, jusqu'au bord de son string en dentelle. Elle retint son souffle avant de s'abandonner à ses caresses hypnotiques.

Elle ne put retenir un gémissement et se raccrocha à son cou en le suppliant mentalement de ne pas s'arrêter.

— Je te reconduirai demain matin, promit-il. Tu auras toute la journée devant toi pour travailler, s'il le faut. Reste, s'il te plaît.

Tandis qu'elle secouait la tête, ses hanches se tendirent vers lui, comme si son corps, traîtreusement mû par une volonté propre, recherchait avant tout l'assouvissement.

— Reste… avec… moi… cette… nuit.

Il ponctua chaque mot d'un baiser enflammé.

Tout à coup, contre toute attente, il se redressa.

Elle lâcha un petit cri de déception mais, au même moment, il releva sa jupe jusqu'à la taille, l'exposant à la clarté encore vive du soleil.

Contractant ses muscles les plus intimes, elle affronta son regard déterminé. Elle s'arrêta de respirer et s'arc-bouta de nouveau lorsqu'il tira sur son string.

— Je t'ai imaginée ainsi toute la journée, offerte, consentante, murmura-t-il.

— Jack…, fit-elle d'une voix étranglée.

— Passe la nuit avec moi.

Incapable de prononcer un mot de plus, elle secoua la tête imperceptiblement.

Il lui sourit sans douceur, avec une expression résolue.

Un long frisson la parcourut. Il était opiniâtre, habitué à arriver à ses fins. Il s'inclina vers elle et, cette fois, sa bouche remplaça ses doigts, remontant lentement à l'intérieur de ses cuisses. Son souffle se fit plus rapide, mais il s'interrompit soudain, lui arrachant une plainte de frustration.

Il plaça alors ses jambes sur ses épaules et glissa les mains sous ses fesses.

Se laissant aller en arrière sur le capot, elle cria dès que ses lèvres touchèrent le cœur palpitant de sa féminité et s'abandonna totalement, prête à sombrer dans le plaisir.

— S'il te plaît…, supplia-t-elle quand il s'immobilisa.

On ne l'avait jamais caressée ainsi, aussi intimement, en plein air. Et ils venaient à peine de se rencontrer…

Eblouie par le soleil couchant, elle cilla.

— Fais-moi crier, chuchota-t-elle dans un élan d'audace.

Un peu décontenancé, il se pencha vers son sexe offert et recommença son supplice exquis, la menant encore une fois tout au bord du gouffre. Les reins cambrés, elle crispa les mains dans ses cheveux bruns.

Il s'écarta de nouveau, une lueur déterminée dans ses yeux bleus.

— Reste cette nuit. Dis oui.

Il ne céderait pas. C'était le prix de la volupté.

Elle observa son expression à la fois attentive et têtue, et quelque chose fléchit en elle.

Pourquoi ne s'accorderait-elle pas une nuit ? N'en avait-elle pas le droit ? Puisqu'il n'y aurait pas de conséquences…

Le regard de Jack changea. Il avait deviné.

— Stephanie ?

Imperceptiblement, ses caresses reprirent, à peine des effleurements.

— Oui…, soupira-t-elle.

— Tu passes la nuit avec moi.

Ce n'était plus une question mais une affirmation, proférée dans un souffle brûlant, tout contre son sexe.

— Oh oui ! dit-elle dans un sanglot, en sombrant presque aussitôt dans l'extase.

Ce fut si soudain et si intense qu'elle poussa un cri déchirant. Ses doigts s'agrippèrent aux cheveux de Jack et un violent tremblement la parcourut, de la pointe des pieds jusqu'au sommet du crâne. Plusieurs spasmes se succédèrent, bouleversants d'intensité.

Lorsqu'ils finirent par s'espacer et se calmer, Jack la prit dans ses bras pour la bercer doucement.

Mais ce n'était pas fini.

— Je veux te sentir en moi, chuchota-t-elle lorsqu'elle eut à peu près repris son souffle.

— Pas tout de suite. Nous avons le temps, maintenant. Je veux d'abord te goûter, encore et encore, te couvrir de baisers fous.

Toute tremblante, elle se tendit fébrilement contre lui.

— Que de passion il y a en toi ! murmura-t-il. Je m'en doutais.

Malgré la confusion de son esprit, Stephanie prit conscience, avec un choc, qu'elle n'avait plus aucun frein. En l'espace de quelques minutes, elle avait abandonné toute sa réserve et toute sa retenue…

— Viens, dit Jack en la tirant par la main.

Elle hocha la tête et rabattit sa robe en la lissant sur ses cuisses. Puis elle se détourna en essayant de se libérer, mais Jack l'obligea à lui faire face et prit son visage entre ses paumes.

— Tu es gênée ?

— Je n'ai pas l'habitude de me comporter de cette manière, avoua-t-elle.

— Eh bien, tu as tort.

Il se baissa pour ramasser son string et le mit dans sa poche.

Comment n'aurait-elle pas été embarrassée ?

Sans lui laisser le temps de réagir, il la souleva dans ses bras, se dirigea vers la maison et monta à l'étage.

— Où vas-tu ? demanda-t-elle quand il traversa la chambre.

Il la déposa dans la salle de bains et ouvrit en grand les robinets.

— Cette baignoire te faisait très envie, tout à l'heure, non ? Je l'ai lu dans tes yeux.

Comme elle ne répondait pas, il s'approcha pour l'embrasser et descendit la fermeture Eclair de sa robe, qui glissa à terre. Elle ne portait plus que ses chaussures et son soutien-gorge blanc en dentelle.

— Pas la moindre imperfection, dit-il en la contemplant d'un air admiratif.

Elle se réfugia derrière l'assurance de Steffi Leigh.

— Ça te surprend ?

— Non. Je peux défaire ton chignon ?

— Au point où j'en suis, tu n'as pas besoin de ma permission…

— J'ai envie de te voir en sueur et décoiffée.

Elle s'empourpra en se remémorant la scène qui s'était déroulée un peu plus tôt.

— Cela t'ennuie ? reprit-il en se méprenant sur sa réaction.

— Non.

Il ôta lentement les épingles de son chignon et ses cheveux se répandirent sur ses épaules et dans son dos.

— Ils sont plus longs que je ne le croyais, dit-il à son oreille en lissant les mèches soyeuses entre ses doigts. Et plus roux. J'ai rêvé tout l'après-midi de les toucher.

— Et de quoi d'autre ?

— C'est toi qui fais des listes, pas moi, la taquina-t-il.

Après avoir fermé les robinets, il recommença à l'embrasser et dégrafa son soutien-gorge. Puis, s'agenouillant devant elle, il lui ôta ses ballerines.

— Tu me traites comme une princesse, murmura-t-elle quand il la souleva délicatement et la plongea dans l'eau.

— Ce n'est pas pour te déplaire, si ?

Elle ferma à demi les yeux en souriant et il recula, les mains sur les hanches, pour la contempler.

— Tu ne me rejoins pas ? lança-t-elle avec une moue dépitée.

Prise de court par les fantasmes qui l'assaillaient, elle ne se reconnaissait pas dans la créature nue et désinhibée qui se prélassait sans complexes devant un homme tout habillé.

— Non, répondit-il en s'appuyant sur le bord de la baignoire. Est-ce aussi bon que tu l'imaginais ?

— Je ne peux pas admirer la vue sur la forêt, tu me déconcentres.

Sans prévenir, elle le saisit par la chemise et le tira vers elle.

— Embrasse-moi, et déshabille-toi.

Il parvint à garder l'équilibre et se mit à genoux.

— Pas encore.

— Oh ! Pourquoi ?

Il trempa les doigts dans l'eau.

— Tu veux que je te savonne ?

— Si tu en as envie…

— Oui, très envie, plaisanta-t-il en imitant son intonation.

Il commença par les épaules et le dos, mais ne tarda pas à s'égarer plus bas, dans les tendres replis de sa féminité.

— Tu es si… réactive, murmura-t-il en se penchant pour déposer un baiser sur ses lèvres.

— Pourtant, c'est très inhabituel… pour moi…

— L'attirance physique produit des changements surprenants… En plus, tu m'amuses.

— J'ai l'impression d'avoir enfin découvert le sens de ma vie ! lança-t-elle avec humour, pour cacher son embarras.

Il éclata de rire.

— Exactement. Moi aussi. Je veux ranimer ton désir jusqu'à ce que tu en perdes la parole.

— Mon désir ? Mais de quoi ?

Une étincelle brilla dans les yeux de Jack.

— De moi, tout simplement.

Il s'y employa avec un art consommé. Très vite, incapable de maîtriser les sensations qu'il faisait naître en elle, elle commença à s'agiter. L'eau se mit à déborder avec des clapotis, et Jack se retrouva bientôt trempé.

Malgré ses supplications, il ne céda pas et ne la rejoignit pas. Impitoyablement, il poursuivit sa torture et la conduisit au paroxysme.

Elle plongea sous la surface pendant une ou deux secondes pour échapper à l'intensité de son regard.

— Enlève tes vêtements, dit-elle lorsqu'elle émergea, le souffle court et les pommettes en feu.

— Tout à l'heure.

— Non.

Elle se leva et sortit de la baignoire avec autant de dignité que la situation le lui permettait.

— *Maintenant.*

Le cœur battant, elle passa devant lui la tête haute et entra dans la chambre. Quel décor magnifique ! Elle avait du mal à y croire.

Une pensée lui traversa soudain l'esprit. Elle se retourna pour lui faire face.

— Tu ne devais pas loger à Melbourne, ce soir ? Tu avais une chambre au Raeburn, non ?

— Oui. J'avais réservé ici à partir de demain.

— Donc, tu les as contactés pour modifier ta réservation ?

Il hocha la tête avec un petit sourire coupable.

— Tu as téléphoné pendant que je dormais ! Tu as *triché* ! Tu dois payer le prix, toi aussi !

— C'est vrai. J'avais l'intention d'avouer.

— Quand ?

— J'attendais le moment propice.

— C'est-à-dire ?

— Je pense qu'il est venu.

Il lui lança un regard ardent et commença à déboutonner sa chemise.

— J'ai eu envie de toi depuis la première seconde où je t'ai vue.

— Tu as pourtant eu l'air de me détester d'emblée.

— Je ne voulais pas admettre à quel point tu m'attirais.

Il ôta son pantalon.

— Pourquoi ?

— J'avais d'autres préoccupations.

— Et maintenant ?

— Je ne pense plus qu'à toi. Tu m'obsèdes.

— C'est pour cela que tu m'as amenée ici ? Pour te distraire de tes soucis ?

Il fronça les sourcils.

— Surtout pour te donner du plaisir.

— Ah. C'est parfait, alors, répliqua-t-elle avec ironie.

— Mais oui, tu vas voir. Et pendant plus de deux heures. Toute la nuit.

— Montre-moi.

Elle se dirigea résolument vers le lit et s'allongea au milieu. Son cœur se mit à battre la chamade pendant que Jack, complètement nu et beau comme un dieu, prenait le temps d'allumer des bougies. Puis il ouvrit un tiroir et en sortit une boîte de préservatifs.

La bouche sèche, elle admira son physique sculptural, et le désir qui la consumait s'intensifia. Les orgasmes que Jack lui avait donnés ne l'avaient pas rassasiée ; une énergie sauvage l'habitait. Elle voulait sentir le frottement de sa peau sur la sienne, et son sexe en elle.

Pour une fois, elle s'autorisait l'expérience d'une sensualité débridée. A part le plaisir qu'elle s'apprêtait à savourer de toutes les fibres de son corps, rien n'avait plus d'importance.

Jack s'arrêta pour la contempler.

— Comme tu es belle !

Elle secoua la tête.

— C'est le maquillage.

— Non, tu as les yeux brillants.

Il émit un rire de gorge.

— Ton mascara n'est pas waterproof. Il a coulé.

Elle se redressa vivement.

— Quoi ? Je dois ressembler à un panda !

Comme elle voulait retourner dans la salle de bains, il la repoussa doucement sur le lit.

— Ne bouge pas. Ne romps pas le charme.

Du pouce, il essuya les marques noires avec une délicatesse consciencieuse. A vrai dire, en cet instant, elle ne se souciait plus vraiment de son apparence.

Lentement, les doigts de Jack glissèrent le long de ses bras. Comme elle, il rêvait de se perdre dans un univers de pure sensation. Ils voulaient tous deux profiter de ce moment spécial, hors du temps. Seule comptait la satisfaction physique.

Il n'y aurait rien de plus. Pas de répercussions d'aucune sorte. Juste le plaisir des sens et la perfection de l'instant présent. *Carpe diem*.

Il s'agenouilla et elle se cala contre le matelas, les bras tendus vers lui. Tout paraissait si simple, maintenant...

Rien n'existait plus que le contact des corps libérés de toute entrave. Le don et le partage.

Elle promena les mains voluptueusement sur son dos, l'attirant plus près, sans cesser de l'embrasser. Avec un grognement inarticulé, il se positionna au-dessus d'elle et la pénétra d'un coup, avec une énergie farouche. Elle ferma les yeux et se mit à gémir d'une manière incontrôlable.

Il retint son souffle.

— Tout va bien ?

Oh… Si seulement elle avait les mots pour décrire ce qu'elle ressentait ! C'était si bon…

— Stephanie ?

Le ton inquiet parvint à son cerveau embrumé.

— Cela faisait si longtemps…

Elle avait peur de croiser son regard. Pour tout dire, elle n'avait guère d'expérience. Elle n'avait connu qu'un homme, une seule fois, et cela n'avait vraiment pas été une révélation… Jamais elle ne s'était abandonnée ainsi à la sensation pure.

— Désolée, ajouta-t-elle, embarrassée.

— Tu n'as aucune raison de t'excuser. Je veux simplement être sûr que tu n'as pas mal.

— Non… Pas du tout… Au contraire…, bredouilla-t-elle pour le rassurer. C'est tout simplement fantastique !

Presque imperceptiblement, elle bougea les hanches.

— Regarde-moi, bougonna-t-il.

Elle obtempéra. Il était si près qu'elle eut l'impression de se noyer dans le bleu de ses yeux.

Il s'appuya sur les coudes et la scruta, comme s'il cherchait à lire dans son âme.

— Stephanie…

Elle était contente qu'il l'appelle par son véritable prénom ; ce n'était pas Steffi Leigh qu'il avait devant lui.

— S'il te plaît…, murmura-t-elle en se mordant la lèvre. Ne te retiens pas.

Comme il hésitait encore, elle insista d'une voix suppliante :

— Je t'en prie…

— Tu obtiendrais n'importe quoi, en me le demandant ainsi.

Il embrassa ses lèvres avec avidité, et elle sombra aussitôt dans une ivresse délectable.

Glissant les mains sous ses reins, il la maintint fermement pressée contre lui, tandis qu'elle écartait davantage les jambes pour les refermer sur ses cuisses. En même temps, elle se cramponna compulsivement à ses épaules.

Lentement, il se remit à bouger, sur un rythme auquel elle répondit, par pur instinct, dans un accord parfait. Il avait éveillé un désir incontrôlable qui exigeait un contentement absolu.

Oui, le sexe permettait de tout oublier et procurait une consolation infinie.

Stephanie s'était évadée très loin de ses soucis quotidiens.

— Encore…

Elle s'agrippa résolument à lui en arquant le dos à sa rencontre. Bien qu'au bord de la jouissance, elle ne voulait pas sombrer sans lui, mais connaître la volupté en même temps, dans une communion totale.

Et il était tout près, lui aussi. Elle le sentait dans la tension de ses muscles et le voyait dans son regard.

Normalement, une telle harmonie était impossible à atteindre une première fois, avec un quasi-inconnu. L'intimité physique se conquérait petit à petit. Cette rencontre se révélait aussi riche et intense que Stephanie ne l'avait craint. C'était tout bonnement extraordinaire, mais il ne s'agissait pas uniquement de sexe, ni d'une simple escapade.

— S'il te plaît…, murmura-t-elle d'une voix rauque. Oh ! s'il te plaît !

— Tu es tellement passionnée…

— Jack… Je t'en prie !

— Bientôt.

— *Maintenant !*

— Bientôt, répéta-t-il résolument.

Elle sut qu'elle avait gagné lorsque, incapable de résister plus longtemps, il accéléra ses mouvements. Un éclair sauvage brilla dans ses yeux et des gouttes de sueur perlèrent sur son front.

— Je veux te sentir en moi, au plus profond.

Elle se contracta de toutes ses forces pour l'emprisonner.

Cette fois, il ne se retint plus et perdit complètement le contrôle de lui-même.

Rejetant la tête en arrière, elle ferma les yeux et se laissa submerger par la joie de la victoire. Quand le cri de Jack résonna à ses oreilles, son corps se raidit une dernière fois, avant d'être secoué par une succession de longs frémissements.

Quelques instants plus tard, alors qu'elle commençait à peine à reprendre son souffle, elle tendit le bras vers lui et rouvrit les yeux.

— Jack ?

— Je suis là, répondit-il avec un sourire.

Allongé sur le côté, il la contemplait tranquillement.

— Je ne sais pas si je t'ai prévenue, mais je suis insomniaque, reprit-il.

Un frémissement la parcourut quand il la caressa.

— Quel dommage pour toi…

Elle retrouva assez d'énergie pour se mettre à genoux. Elle éprouvait une incroyable sensation de liberté.

Le repoussant doucement, elle s'installa sur lui à califourchon.

— … Mais quelle chance pour moi ! ajouta-t-elle avec un sourire espiègle.

6.

Jack était réellement insomniaque. Il était un peu plus de 4 heures du matin, et il écoutait la respiration douce et régulière de Stephanie. Les rideaux n'étant pas tirés, il voyait des millions d'étoiles scintiller dans le ciel, au-dessus de la masse sombre de la forêt.

Stephanie dormait pelotonnée contre lui, le dos contre son ventre. Il avait une main sur sa hanche.

La partie de lui la plus égoïste, celle qui avait insisté pour l'obliger à rester, voulait la réveiller, car il avait encore envie de se perdre en elle. Le plaisir qu'il avait éprouvé dépassait toutes ses espérances.

Il avait trouvé l'oubli qu'il recherchait. Ses doutes, ses démons, ses interrogations sans fin… la peur aussi, tout s'était évanoui dans le feu de la passion.

Il détestait et méprisait la vulnérabilité qui s'insinuait parfois en lui. Pour la combattre, il se lançait frénétiquement dans le travail, comme pour se punir. Si bien qu'en fin de journée il s'écroulait généralement ivre de fatigue, incapable de penser davantage.

Malheureusement, ses tourments revenaient dès qu'il se retrouvait au calme. Cette semaine, en particulier, s'avérait particulièrement pénible. Maintenant qu'il s'apprêtait à rencontrer l'homme qui était probablement son géniteur, il avait encore plus besoin de s'évader.

Stephanie était sa seule échappatoire pour tromper cette insupportable attente.

Malgré tout, il n'osait pas la réveiller. Après la soirée et nuit qu'ils avaient passées, il fallait la laisser se reposer un peu, d'autant qu'elle était déjà fatiguée avant d'arriver ici.

Il s'efforça de calquer sa respiration sur la sienne. La douceur de sa peau le rassérénait. Ses cheveux soyeux sentaient délicieusement bon. Il se remémora les instants les plus sensuels de cette rencontre inattendue.

Au début, il se demandait si elle aurait assez de cran pour lâcher prise ou si son souci des apparences étoufferait ses velléités. Finalement, elle l'avait bluffé. Elle était allée jusqu'au bout de son désir, comme si les heures qui avaient précédé avaient alimenté ses fantasmes en les exacerbant. Sa façade très lisse cachait une femme passionnée, capable de succomber à l'appel des sens dans un abandon total. Non sans humour, de surcroît.

On était loin du personnage convenu et superficiel de Steffi Leigh.

Bien qu'assailli par un nouvel élan de désir, il s'obligea à ne pas bouger. Il attendrait au moins le chant des oiseaux, à l'aube.

La torture finit cependant par se révéler trop forte. Tout doucement, il se glissa hors du lit, enfila son caleçon, et sortit sur la galerie. Après avoir commandé le petit déjeuner, il alluma son ordinateur pour travailler.

Stephanie n'émergea que deux heures plus tard. Levant les yeux pour la regarder approcher, Jack fut submergé par une vague de désir si forte que c'en était presque douloureux.

La femme qui se tenait devant lui n'avait plus rien à voir avec la créature apprêtée qu'il avait rencontrée la veille à son hôtel. Elle portait la même robe, mais toute froissée. L'absence de maquillage laissait voir des taches de rousseur sur son nez, et ses cheveux blond vénitien auréolaient joliment son visage.

Des étincelles brillaient dans ses prunelles bleu-vert et un sourire incurvait le dessin de sa bouche pulpeuse.

Mais pourquoi rougissait-elle ?

Rabattant l'écran de son portable, il se leva pour aller à sa rencontre. Stephanie Johnson ne ressemblait en rien à l'image qu'elle s'efforçait de créer avec le personnage de Steffi Leigh. Elle était infiniment plus expressive, plus profonde, sensible et intéressante.

Avait-il eu tort de l'amener ici et de la séduire ?

Hésitant à le regarder en face, comme si elle était gênée, elle indiqua les dossiers posés sur la table.

— Tu es vraiment un bourreau de travail !

— J'ai un compte rendu à terminer.

— Je t'ai sauvé du surmenage ?

Elle lui avait surtout épargné de se noyer dans l'inquiétude. Mais il tairait cela et resterait délibérément léger.

— Tout comme l'absence de connexion Wi-Fi va te sauver de ton addiction à Internet.

Le petit rire de gorge qu'elle émit le fit frissonner.

— Comment allons-nous supporter les effets du manque ?

— J'ai quelques idées sur la question.

Il tendit la main pour l'attraper par le poignet.

— Reste une deuxième nuit.

Il avait parlé trop vite.

Elle ne répondit pas, mais ne se dégagea pas non plus.

— Personne ne t'attend à Melbourne, si ?

Après avoir marqué une pause, il ajouta :

— Tes fans patienteront bien un jour de plus.

Elle ne disait toujours rien.

— Stephanie ?

— Mais tu as du travail, objecta-t-elle doucement en le regardant à peine.

— Ça me sert d'excuse, admit-il. Pour être seul. Mais je préfère être avec toi.

— Quel honneur ! ironisa-t-elle, les yeux brillants.

Jack retint son souffle. Pour la première fois de sa vie, il se sentit incapable de bouger, de peur de rompre le charme. L'expression de Stephanie l'emplissait de joie. Il aurait voulu prolonger cet instant indéfiniment.

Comblant son souhait le plus cher, elle vint s'asseoir sur ses genoux.

— Reste au moins la journée…, suggéra-t-il d'une voix altérée.

Le désir le consumait. Comme mues par une volonté propre, ses mains remontèrent sa jupe pour caresser ses cuisses.

— Je t'en prie, ne recommence pas à me torturer.

— Te torturer ?

— Oui, en cherchant à tout prix à obtenir mon consentement.

Elle rougit et il réprima un sourire.

— Tu n'as pas l'habitude de ce genre de situations, n'est-ce pas ?

— Non. Généralement, je me tiens bien.

— Quel puritanisme ! Il n'y a pourtant aucun mal à prendre un peu de plaisir.

— Je sais.

Comme elle retombait dans le silence, il s'immobilisa.

— Tu ne regrettes rien, j'espère ?

— Au contraire…

Elle se pencha pour l'embrasser et il poussa un soupir de soulagement, mêlé de désir.

Maladroitement, il fit glisser les bretelles de sa robe et elle se contorsionna pour l'aider. Quelques instants plus tard, elle était assise nue sur lui, à califourchon, en train de dévorer avidement ses lèvres.

— C'est moi qui suis au supplice, maintenant, dit-il d'une voix rauque.

Le sourire qu'elle lui adressa alors, très *Steffi Leigh*, fut de trop. Il se leva si brusquement qu'elle faillit tomber et poussa un cri.

— Tiens-toi à la balustrade, ordonna-t-il rudement.

Pendant qu'elle obtempérait, il mit un préservatif en se félicitant d'en avoir à portée de main. Il ne comprenait pas pourquoi il avait de plus en plus envie d'elle.

— Je n'arriverai jamais à me rassasier de toi, murmura-t-il en lui écartant doucement les jambes.

— Tant mieux, répondit-elle en se cambrant.

Inexplicablement, son ton joyeux lui donna envie de la punir, pour qu'elle soit aussi désespérée que lui. Il la pénétra presque brutalement et ne lui laissa aucun répit. Une main sur sa poitrine et l'autre sur son sexe, il n'eut de cesse de l'avoir à sa merci, pantelante. Elle cria si fort que des oiseaux effarouchés s'envolèrent des arbres.

Jack touchait à la victoire.

— Je vais rester encore quelques heures, chuchota-t-elle, vaincue.

Dieu merci.

Il l'enlaça par la taille et la serra contre lui. Se sentant tout à coup épuisé, il eut envie de retourner au lit. Avec elle.

Mais elle se libéra.

— Je dois prévenir Tara.

D'où venait cette inquiétude soudaine ? se demanda-t-il. Elle avait parfois des expressions angoissées qu'il ne s'expliquait pas. Elle lui cachait quelque chose, il en était de plus en plus convaincu.

En fait, cela n'avait pas grande importance. Dans quelques heures, elle aurait disparu de son existence. Ils concluraient leur transaction par mail et n'auraient même pas besoin de se revoir.

Il se mit à lui caresser doucement le dos.

— Il est trop tôt pour téléphoner. Prenons d'abord notre petit déjeuner. Au lit.

Désireuse de savourer chaque minute passée avec Jack, Stephanie aurait voulu ne pas perdre de temps à dormir, mais son corps ne lui avait pas laissé le choix. Repue, rassasiée, elle avait sombré dans le sommeil.

Elle roula sur le côté en clignant des yeux. Le soleil déjà haut se déversait à flots dans la chambre, et elle était de nouveau seule dans le grand lit.

Elle aurait adoré se réveiller dans la tendresse, entre les bras de son amant…

C'était une pensée stupide !

Il ne s'agissait pas d'émotions, mais de sexe. Hélas ! elle manquait d'expérience. Elle n'avait jamais rencontré un homme qui connaissait aussi bien le corps féminin, et qui aimait à ce point donner du plaisir.

Pour autant, il ne fallait pas s'emballer. Elle ne devait surtout pas s'impliquer sentimentalement. C'était une aventure irrésistible, mais sans lendemain. Après avoir goûté à la volupté, il était normal d'en redemander.

Si elle s'écoutait, elle resterait même une deuxième nuit…

Au moment où elle saisissait son téléphone, Jack la rejoignit dans la chambre. Les cheveux en bataille et les yeux un peu cernés, pas rasé, il était encore plus séduisant.

— Où as-tu trouvé ce jean ? demanda-t-elle tout à coup.

— Je me suis fait apporter quelques affaires.

Il s'adossa au chambranle de la porte avec un sourire.

— J'en ai profité pour te commander des vêtements.

Elle sursauta.

— Quand cela ?

— Pendant que tu dormais.

Elle poussa un soupir excédé. Il n'avait pas à agir ainsi ! Etait-ce ainsi qu'il se comportait d'habitude avec les femmes ? Leur offrait-il, à la fin du week-end, des colifichets en guise de souvenirs ?

Quelle importance ?

Après tout, seul comptait le moment présent, non ?

Il s'approcha pour lui prendre le menton entre le pouce et l'index.

— Tu n'es pas obligée de les porter. Garde ta robe, si tu veux. Ou, mieux encore, reste toute nue jusqu'à demain.

La proposition commençait à la tenter… Pourquoi ne s'offrirait-elle pas une seconde nuit, après tout ? Elle ne s'était pas accordé une seule sortie depuis que son frère était tombé malade, pas même une soirée au cinéma avec une amie. Cela faisait maintenant dix-huit longs mois que leur mère était partie et qu'elle s'occupait de Dan sans répit. Tout en travaillant pour gagner un peu d'argent, elle préparait les repas, retapait ses oreillers, mettait un DVD, lui parlait…

Malgré toutes ses attentions, la santé de Dan ne s'améliorait pas. Son humeur se détériorait, et elle ne savait comment le sauver de la dépression. La plupart du temps, il refusait de prendre ses médicaments et d'aller chez le kinésithérapeute. Il se renfermait complètement sur lui-même.

Ses doigts se crispèrent sur le téléphone.

— Tout va bien ? Il y a un problème ? demanda Jack, perplexe.

Bannissant les pensées importunes, elle secoua la tête. Pour une fois, elle se contenterait de suivre le conseil qu'elle donnait aux autres et de vivre au présent.

Elle posa son portable sur la table de nuit et se dirigea vers la salle de bains.

— Je vais prendre une douche. Tu m'accompagnes ? lança-t-elle avec un sourire malicieux.

— Quelle bonne idée !

Une demi-heure plus tard, Jack apporta un grand sac en papier glacé dans la chambre.

— Des petits cadeaux, s'ils sont à ton goût.

Puis il se retira discrètement.

Poussée par la curiosité malgré une certaine réticence, Stephanie déballa les articles soigneusement pliés qu'il contenait. Il y avait deux robes haute couture, une courte et une longue, magnifiques et de la bonne taille.

Manifestement, il avait déjà fait cela.

Avec une pointe de dépit, elle déplia une troisième tenue, un ensemble kimono en soie bleu marine.

Elle se décida très vite.

— Tu as choisi le confort, déclara-t-il lorsqu'elle le rejoignit.

— Ce n'est pas une critique, j'espère ?

Elle regretta immédiatement sa question. Pourquoi se souciait-elle de lui plaire ? Parce qu'il avait payé ?

— Absolument pas. Tu es ravissante.

Il la prit par la taille.

— J'ai aussi fait faire le plein d'essence, ajouta-t-il nonchalamment. Tu viens te promener ?

— Avec plaisir.

Elle le suivit jusqu'à la voiture.

— Des suggestions ?

— Non, aucune, du moment que tu ne me ramènes pas chez moi.

Et tant pis pour ce que cet aveu révélait.

Elle se tourna à demi pour contempler son beau profil pendant qu'il conduisait. Conscient de son regard, il esquissa un sourire.

— Où m'emmènes-tu ? demanda-t-elle.

— Dans une réserve animalière.

Emerald Springs était une clinique vétérinaire installée à quelques kilomètres de Green Veranda. On y soignait des animaux sauvages, blessés ou malades, avant de les relâcher dans leur milieu naturel.

— C'est fermé au public aujourd'hui, dit Stephanie en lisant la pancarte.

— Nous ne sommes pas des gens ordinaires, mais des sponsors, répondit Jack.

— Tu les as soudoyés pour nous accueillir ?

— Exactement. Et je n'ai pas honte.

Il voulait avant tout lui faire plaisir.

— Vous êtes Jack Wolfe, j'imagine ! s'exclama une jeune femme en s'avançant. Ravie de vous rencontrer.

C'était la directrice de l'établissement, qui leur fit visiter en personne la clinique et toutes les installations.

— Je ne vous remercierai jamais assez pour votre généreuse contribution, dit-elle à Jack avec enthousiasme.

— Il s'agit naturellement d'un don anonyme, répliqua-t-il, soucieux de ne pas heurter Stephanie.

— Bien sûr. Cela restera entre nous.

Agacée par les minauderies et le ton charmeur de

leur guide, Stephanie haussa les sourcils et se dirigea vers une cage en verre qui abritait un énorme reptile.

— Tu n'as pas peur des serpents ? demanda Jack en la rejoignant.

— Si, mais ils me fascinent.

La directrice les interrompit en se rappelant à l'attention de Jack.

— Vous vouliez tout particulièrement voir un échidné, je crois ?

— Stephanie surtout, précisa-t-il en lui prenant ostensiblement la main.

Leur hôtesse retrouva enfin un ton plus professionnel.

— Tenez, Stephanie, enfilez ces gants. Nous vous avons préparé une surprise.

Il s'agissait d'un bébé échidné, si petit qu'il tenait dans la paume de Stephanie, qui ne dissimula pas son enthousiasme.

— Il est absolument adorable !

Jack observa avec curiosité la minuscule créature. Comme les hérissons, les échidnés étaient munis de piquants pour se protéger des assaillants. Leur mécanisme de défense n'était pas sans lui rappeler quelqu'un…

La directrice se manifesta de nouveau.

— Je suis désolée, mais je dois retourner dans mon bureau.

— Je comprends. Merci beaucoup. Nous ne voulons pas vous accaparer plus longtemps, répondit Jack.

— Je vais demander à une de nos bénévoles de venir pour répondre à vos questions, si vous en avez. Vous pouvez rester aussi longtemps que vous voulez. Merci encore pour votre générosité, Jack.

Quand elle replaça l'échidné dans sa cage, Jack

s'attarda encore un peu pour examiner l'animal avec une expression presque attendrie.

— Je croyais que tu préférais voir les animaux dans leur milieu naturel ? le taquina Stephanie.

— Celui-ci retournera à l'état sauvage quand il sera un peu plus vigoureux.

Tout à coup, une exclamation joyeuse les interrompit.

— *Steffi Leigh !*

Une très jeune fille en T-shirt kaki, la bénévole annoncée, se précipitait vers eux.

— Oui, c'est moi, dit Stephanie avec un sourire chaleureux. Vous suivez mon blog ?

— Oui, bien sûr ! Comme toutes mes copines. C'est trop cool ! J'arrive pas à y croire. Je peux prendre une photo avec vous ?

Stephanie hésita une fraction de seconde avant d'accepter gentiment.

— Donnez-moi votre portable, je vais la prendre, suggéra Jack.

— C'est votre petit ami ? chuchota l'adolescente à l'oreille de Stephanie, un peu trop fort malgré tout.

— Non, je n'en ai pas, répondit Stephanie en rougissant malgré elle.

— Je finirai par la convaincre, lança Jack avec un clin d'œil.

Stephanie le foudroya du regard tandis que la jeune fille écarquillait des yeux ahuris.

— Vous ne voulez pas sortir avec lui ?

— Il est trop beau et trop sûr de lui.

L'adolescente resta un moment bouche bée, puis se racla la gorge.

— Euh… Tara est là aussi ?

— Non, elle est à Melbourne.

— Vous parlerez d'Emerald Springs sur votre blog ?

— Peut-être.

— Ça serait tellement cool !

— Allez, c'est d'accord. J'ai déjà une bonne douzaine de choses géniales à raconter.

— Mais vous m'autorisez à poster ma photo tout de suite ?

Intrigué par leur complicité, Jack les écouta bavarder de leurs vidéos préférées. Puis elles s'embrassèrent pour se dire au revoir et il prit un autre cliché devant la voiture.

— Vous allez souvent sur le blog ? demanda-t-il à la bénévole en lui rendant son téléphone.

— Tous les jours. Steffi est tellement drôle ! Elle est plus petite que je ne croyais. Et plus réservée…

— Un peu timide, acquiesça-t-il. Contrairement aux apparences.

L'adolescente hocha la tête en rougissant, comme si elle connaissait Steffi depuis des années. Puis elle reprit son rôle de super-fan, d'un ton presque protecteur.

— Elle est si adorable ! Elle mérite tout le bonheur du monde.

— Tout à fait d'accord, assura Jack, complice.

La jeune fille se pencha vers lui avec une expression de conspiratrice.

— Je crois que vous lui plaisez vraiment.

— Je l'espère, répondit-il sur le même ton.

Après un petit salut de la main, il monta dans la voiture, où Stephanie était déjà installée.

— Merci de m'avoir amenée ici, dit-elle. J'ai passé un très bon moment.

— Tant mieux. Cela t'arrive souvent, d'être reconnue ?

— Assez, oui.

Etant donné le nombre de ses followers, cela n'aurait pas dû le surprendre.

— Ça ne te gêne pas, quand tu fais ton shopping ?

Elle se mit à rire.

— Je vais très rarement dans les magasins !

— Ah bon ? Où achètes-tu tes vêtements ? Dans des boutiques de luxe en ligne ?

Elle fronça les sourcils.

— Non, pas du tout. Dans des friperies. Je relooke moi-même mes trouvailles. Cela fait partie du fun.

Vintage, *originalité, style, personnalité…*

Tous les mots que son directeur de marketing avait utilisés pour présenter le blog de Stephanie convenaient. Pourtant, ils ne suffisaient pas.

— La robe verte que tu portais hier aussi ?

— Non… Celle-là, je l'ai cousue moi-même.

— Vraiment ?

Elle hocha la tête.

Que de talents ! Quel charisme, aussi…

Steffi Leigh avait plus de consistance qu'il ne l'aurait cru. Tout à l'heure, elle avait manifesté beaucoup de chaleur et de spontanéité avec la jeune bénévole. Et une réelle authenticité.

Stephanie *était* Steffi Leigh, mais beaucoup plus aussi.

— Tu es plus mystérieuse que je ne l'imaginais.

— Pas du tout. Steffi Leigh et moi sommes une seule et même personne.

— Aujourd'hui, pourtant, tu ne lui ressembles pas. Tu n'es même pas maquillée.

— Le maquillage a son utilité, protesta-t-elle.

— Tu es belle avec et sans.

— Bonne réponse ! plaisanta-t-elle en lui envoyant un baiser.

Puis, se détournant pour regarder droit devant, elle changea subtilement de sujet.

— Où allons-nous, maintenant ?

— Manger.

Une vingtaine de minutes plus tard, elle découvrit avec un petit sursaut l'enseigne discrète d'un établissement connu.

— C'est un restaurant français très réputé.

— En effet.

— Je ne peux pas y aller dans cette tenue !

— Bien sûr que si. Steffi Leigh peut tout oser.

— Tu le penses vraiment ?

— Oui.

Il fut récompensé par la lueur qui s'alluma au fond de ses yeux et qui éveilla en lui une émotion déconcertante.

— Bienvenue, monsieur Wolfe, dit le maître d'hôtel avec déférence. Nous sommes très honorés de vous accueillir chez nous.

Il les conduisit à leur table avec une obséquiosité qui fit grimacer Stephanie.

— L'endroit ne te plaît pas ? demanda Jack quand ils furent seuls.

— Tu gagnes de l'argent en publiant des guides de voyage pour une clientèle modeste. Mais, toi, tu fréquentes les palaces et les restaurants gastronomiques. Quelle farce !

Il haussa les épaules.

— J'essaie juste de me hisser à la hauteur du raffinement de Steffi Leigh. N'est-ce pas ce dont tu as l'habitude ?

A vrai dire, il en doutait de plus en plus. Le scénario ne collait pas tout à fait.

L'enthousiasme de Stephanie était presque trop

naïf, comme si elle n'arrivait pas à croire à sa chance. Maintenant qu'il avait récupéré de la fatigue du voyage et du décalage horaire, ses perceptions s'affinaient. Elle lui donnait l'impression de respirer une bouffée d'air pur après avoir vécu enfermée pendant des mois.

Par moments, elle était aussi sur ses gardes, comme si elle craignait de se trahir. Il connaissait cette attitude pour l'avoir souvent observée dans sa famille.

Ses parents ne lui avaient jamais parlé de son vrai père, dont ils prétendaient ne savoir que très peu de chose. Selon eux, sa mère biologique n'avait rien voulu révéler ; ils ne connaissaient même pas son nom.

Mais ils ne lui disaient pas tout.

Tout comme Stephanie, qui répondait parfois de façon élusive à ses questions. En ce moment même, le nez plongé dans le menu, elle se dérobait. Il lui accorda quelques minutes avant de l'interroger sur ce qui lui faisait envie.

— Tout…, soupira-t-elle.

— Vraiment ?

Il appela une serveuse.

— Nous allons faire un festin. Apportez-nous tout ce que vous avez sur la carte.

— Jack…, coupa Stephanie, scandalisée. Nous ne pouvons pas faire cela !

— C'est tout à fait possible, intervint la serveuse en battant coquettement des cils. Des portions de dégustation ?

— Ce serait parfait, répondit-il avec un petit air triomphant.

— Encore une qui rampe devant toi, lança Stephanie.

— Tu crois ?

Il se mit à rire.

— Peu importe. Il n'y a que toi qui m'intéresses. Et qui m'excites.

C'était la pure vérité.

Il prit autant de plaisir à la regarder picorer dans les plats qu'à goûter chacun des mets délicieux.

— Tu es quelqu'un qui peut tout se permettre, déclara-t-elle, pensive. C'est comme cela tout le temps ?

— Hmm ?

— Tu mènes une vie de rêve.

— Ce n'est pas comme ça tous les jours, admit-il très franchement. Je suis rarement aussi détendu parce que j'ai un emploi du temps très rempli. J'ai des réunions avec mes rédacteurs, des vérifications à faire… Je suis constamment occupé. J'ai toujours quelqu'un à voir ou des mails auxquels il faut répondre.

— Mais là, en ce moment, tu es tranquille ?

Il hocha la tête.

— Moi aussi, dit-elle avec un sourire.

Jack retint son souffle, avec la brusque impression de partager un moment parfait, extraordinaire et hors du temps. Il n'avait plus envie de parler ni de réfléchir.

— Retournons au lit.

Elle éclata de rire.

— Tu es obsédé…

Peut-être.

— Ce n'est pas une bonne idée ?

— Si, excellente.

Il était content qu'elle soit sur la même longueur d'onde. Finalement, il s'agissait uniquement de sexe.

Il appela la serveuse pour demander l'addition. A la seconde où elle la posa sur la table dans une pochette en cuir, Stephanie s'en empara.

— Pas question, protesta-t-il avec autorité.

— Je veux payer, insista-t-elle d'un ton féroce.

— Non.

— Je refuse d'être traitée comme une... maîtresse ou une femme entretenue.

Il éclata de rire, mais refusa de céder.

Cinq minutes plus tard, elle claqua furieusement la portière de la voiture. Elle était très en colère. La légèreté et l'enthousiasme de Steffi Leigh avaient disparu...

— Je te rendrai le kimono dès que nous serons rentrés, annonça-t-elle dans un sursaut d'orgueil. Je ne veux plus rien accepter de toi.

— Tu peux l'enlever tout de suite, plaisanta-t-il.

Elle lui jeta un regard de défi.

— Chiche !

7.

Quand elle commença à déboutonner la veste kimono, Jack éclata de rire, tout en jetant un regard circulaire.

— On risque de te voir !

— Alors, dépêche-toi de démarrer.

Elle jeta le haut sur la banquette arrière et entreprit d'enlever le pantalon en se contorsionnant.

— Tu vas attraper un coup de soleil sur les seins, l'avertit-il, subjugué par sa peau laiteuse.

— J'ai gardé mon soutien-gorge.

Peut-être, mais sa culotte avait disparu et il avait du mal à se concentrer sur la conduite.

Repoussant ses lunettes de soleil sur son nez, Stephanie s'adossa contre le siège avec une nonchalance affectée. Ses pommettes roses trahissaient néanmoins son embarras.

Quel esprit rebelle ! Jack adorait sa spontanéité et sa fantaisie.

Impatient de rentrer à Green Veranda, il appuya sur l'accélérateur. L'attitude provocatrice de Stephanie l'aiguillonnait.

— Remets ta veste, ordonna-t-il cinq minutes plus tard. Tu as la peau fragile.

Comme elle n'obéissait pas, il freina et se gara sur le bas-côté.

— Stephanie… Les rayons du soleil sont particulièrement nocifs en Australie. *S'il te plaît.*

Elle obtempéra à moitié, en posant seulement le kimono sur ses cuisses. Il reprit la route avec un soupir.

— Tu connais les dangers de la terre entière ? demanda-t-elle avec une pointe d'ironie.

— C'est moi qui relis les épreuves avant de les envoyer à l'imprimeur.

— Pour tous les guides ? Toutes les éditions ?

— Oui. Je repère la moindre erreur. Les rédacteurs me redoutent pour mon intransigeance.

— J'imagine ! Ils doivent être dans leurs petits souliers, avec toi. Tu n'as même pas besoin de crier. Un regard te suffit pour anéantir quelqu'un. Tu peux être glaçant.

Elle n'avait pas tort. Dans son entourage professionnel, tous craignaient sa sévérité.

— J'ai un personnel de qualité, soucieux de me satisfaire. Mes employés ont un job très gratifiant. Ils voyagent tous, de la réceptionniste au bas de l'échelle jusqu'au chargé de mission au dernier échelon.

Stephanie parut étonnée.

— Toi aussi, tu bouges beaucoup ?

— Oui, tout le temps. J'ai des bureaux partout.

— Et y a-t-il des endroits que tu ne connais pas ? demanda-t-elle d'un ton un peu envieux.

— Beaucoup. J'évite autant que possible de retourner là où je suis déjà allé. A part chez moi et en Indonésie, bien sûr.

— Dans cet orphelinat ?

Il hocha la tête.

— Pourquoi ?

Il bifurqua sur le chemin qui s'enfonçait dans la forêt paradisiaque et hésita avant de répondre.

— Je suis né en Indonésie. C'est uniquement ma bonne étoile qui m'a empêché de devenir un de ces enfants abandonnés. Ma mère était incapable de s'occuper de moi. Et mon père… n'était pas présent. J'ai eu la chance d'être adopté par les Wolfe.

Une chance extraordinaire, il en était conscient. D'ailleurs, il n'avait pas informé sa famille de ses recherches pour ne pas les blesser. Pourtant, il avait besoin de réponses. Il y avait en lui une petite faille qu'il ne savait comment combler, malgré l'amour de ses parents adoptifs et de ses frères. Et bien qu'il ait aussi beaucoup d'amis, ainsi qu'une carrière florissante…

Malheureusement, cela ne lui suffisait pas.

Seul le fait de savoir lui permettrait de vaincre la peur qui meublait ce vide. Le rapport du détective n'avait rien d'enthousiasmant, mais il tenait à se rendre compte par lui-même.

Stephanie se retenait manifestement de poser les questions qui lui brûlaient les lèvres. Même s'il n'avait jamais abordé le sujet avec personne, il ne put cependant s'empêcher d'y répondre.

— Ma mère était très jeune quand elle a accouché. Elle s'était enfuie. Irene et Ed, mes parents, l'ont rencontrée au cours d'un voyage et l'ont un peu aidée pendant sa grossesse. A l'époque, ils n'arrivaient pas à avoir d'enfants. Lisa, ma mère biologique, a d'abord essayé de me garder, mais elle menait une existence trop précaire et a préféré m'offrir à l'adoption pour assurer mon avenir, et mon bonheur.

Ses doigts se crispèrent sur le volant.

— Au début, elle venait souvent me voir… Ensuite, elle a malheureusement succombé aux démons qui la hantaient…

Il haussa les épaules. Elle avait fini par retomber dans la drogue et était morte d'une overdose.

— J'ai la chance d'avoir eu deux mères qui m'ont aimé.

Stephanie restant silencieuse, il résolut d'en dire un peu plus.

— Comme il arrive souvent, quelques mois seulement après mon adoption, Irene est tombée enceinte. De jumeaux. J'ai des frères fantastiques. James dirige des équipes de recherche et de sauvetage en milieu urbain. C'est un vrai héros. Quant à George… Il est investisseur, un peu foufou, et très drôle.

— Ils n'ont pas voulu travailler avec toi ?

Jack secoua la tête.

— Ils ont préféré l'un et l'autre mener une carrière indépendante, avec l'accord de nos parents.

— Mais, toi, tu voulais entrer dans l'entreprise familiale ?

— J'ai probablement hérité du gène du voyage par ma mère biologique. La direction des Editions Wolfe me permet d'assouvir ma passion.

Il s'arrêta devant Green Veranda avec la sensation de s'être livré corps et âme.

Lorsqu'il se tourna vers Stephanie, il lut une telle tendresse dans son regard que son cœur se serra, lui causant une douleur inexplicable.

— Tu te sens redevable envers eux ?

Elle s'excusa presque aussitôt. Les relations probablement très complexes de Jack avec sa famille ne la regardaient pas.

— Désolée, ma question est stupide.

— Non. Cela ne me dérange pas de répondre. Oui,

évidemment, je leur dois beaucoup. Mais ils n'exigent rien de moi, et certainement pas de la gratitude.

Malgré tout, songea-t-elle, s'il travaillait autant, c'était probablement à cause d'un sens aigu du devoir moral.

— Tu n'as pas l'intention de te rhabiller ? lança-t-il.

Elle secoua la tête en riant. Cet après-midi l'avait enchantée. Complètement sous le charme de Jack, elle garderait longtemps le souvenir de la scène émouvante avec le bébé échidné.

Elle avait découvert une facette inattendue de Jack, qui contrastait avec sa rigueur et son autorité naturelle. Cet homme d'affaires impitoyable avait aussi de la douceur en lui.

Malheureusement, il vivait à l'autre bout du monde et n'avait pas la moindre intention de s'intéresser à elle.

Il avait la terre entière à ses pieds. Les gens s'empressaient pour lui donner satisfaction, et pas uniquement à cause de sa fortune. Il était doté d'une présence et d'un charisme stupéfiants.

Et d'une formidable aura de puissance.

Quelle existence de rêve il menait ! Il faisait partie de la petite fraction de l'élite la plus inaccessible.

Mais leur escapade allait se terminer bientôt. Il fallait bien revenir à la réalité. Et à Dan.

— J'ai un frère, annonça-t-elle doucement en enfilant son kimono pour sortir de la voiture.

— Ah bon ? Comment est-il ?

Elle hésita. Que dire ? La vie de Dan était brisée, et elle était impuissante à l'aider. De son côté, Jack avait des problèmes à résoudre. Il s'efforçait de maîtriser son propre destin et n'avait pas besoin de s'apitoyer sur le sort des autres.

Elle se remémora l'époque où Dan était en pleine possession de ses moyens, avant sa maladie.

— C'est un athlète hors pair, répondit-elle en se rappelant les jours meilleurs. Il excelle dans tous les sports. Quand nous étions plus jeunes, il avait des compétitions tous les week-ends, de natation ou autre chose. Le soir, il avait ses entraînements d'athlétisme, de cricket... C'était un dieu. Nous organisions notre emploi du temps autour des événements sportifs.

Il débordait d'activité et leurs parents veillaient sur lui comme sur la prunelle de leurs yeux. Après la mort de leur père, leur mère avait entamé presque aussitôt une relation avec l'un des entraîneurs de Dan, et leur vie était devenue encore plus centrée sur le sport.

— Tu es comme lui ? demanda Jack en lui prenant la main pour la conduire vers la piscine.

— Oh non ! Je n'ai pas ses aptitudes. Il est très doué.

— Il a obtenu une bourse d'études dans une université, comme sportif de haut niveau ?

La gorge nouée, elle se força à hocher la tête. Hélas ! Dan avait tout perdu.

Brusquement, elle plongea dans l'eau turquoise pour se dérober. Quand elle refit surface, Jack réfléchissait, les sourcils froncés.

— Tes parents sont sûrement aussi très fiers de toi, dit-il.

— Pourquoi ?

— A cause de ton blog.

Elle se retourna sur le dos pour faire la planche.

— Ma mère a d'autres centres d'intérêt. Elle en est à son troisième mariage, et habite en France. Elle est incapable de vivre seule.

Trop immature pour veiller sur ses enfants, elle n'avait

pas supporté la dépression de Dan, après son amputation. Elle avait tout simplement pris la fuite.

— Et ton père ?

— Il est mort d'un cancer il y a cinq ans.

— Tu n'as que ton frère, en Australie ?

— Oui.

— Ton blog t'occupe à plein temps ?

— J'ai arrêté mes études universitaires quand les choses ont pris de l'ampleur.

En réalité, c'était juste après l'opération de Dan.

— Tu étudiais quoi ?

— L'histoire de l'art et le design.

— A quoi te destinais-tu, après ton diplôme ?

— Je voulais enseigner… Ou travailler dans une galerie.

— Tu n'as pas envie de voyager ? De visiter les grands musées du monde, à Florence, Paris, New York…

— Je ne dirais pas non ! Je pourrais aussi faire du shopping…

— Il y a tant à voir en matière de peinture et d'architecture, l'interrompit-il en agitant le doigt. Tu n'es pas aussi futile que tu le laisses entendre.

— Je ne fais pas semblant.

— Non, admit-il pensivement. Mais tu ne te montres pas entièrement telle que tu es. Sur ton blog, en tout cas.

— Chacun a son jardin secret.

— Pourquoi serait-il nécessaire de cacher une passion pour l'art ? Tu filtres tout ce que tu mets en ligne, ajouta-t-il en enlevant son T-shirt.

Il continua à parler en ôtant son pantalon.

— Tu devrais te faire davantage confiance. Tu as plus à offrir que de simples listes. Et tu ne voudrais pas finir ta licence ?

Plus que tout au monde ! Mais, avant cela, il fallait inciter Dan à reprendre des études. Il ne pouvait pas passer le reste de sa vie assis sur un canapé à regarder la télévision ou à jouer à l'ordinateur.

— Plus tard, peut-être, souffla-t-elle. En ce moment, je n'ai pas le temps.

— Tu n'as pas non plus de petit ami ?

— Pas dans la vraie vie, non, plaisanta-t-elle avec une légèreté feinte.

— Tu n'es pas assez disponible ?

Exactement. Tant que le problème de Dan ne serait pas résolu, elle ne serait pas vraiment libre.

— En plus, je ne veux pas devenir comme ma mère.

— C'est-à-dire ?

— Dépendante des hommes. C'est comme une addiction, elle ne peut pas vivre sans. Après la mort de mon père, elle a été incapable de supporter la solitude et s'est remariée quelques mois plus tard. Cela n'a pas marché, mais elle a recommencé.

Sans se soucier un seul instant de ses enfants.

Quant à Dan, en se consacrant entièrement au sport, il n'imaginait pas d'autre avenir que celui de champion. Sa maladie l'avait anéanti.

Elle, pour sa part, se cachait derrière le personnage de Steffi Leigh. Même si elle restait la plupart du temps enfermée dans sa chambre à s'inventer une existence forgée de toutes pièces, elle assumait son indépendance et refuserait toujours de dépendre d'un homme.

— Elle a abandonné ses enfants pour se marier, par peur d'être seule, expliqua-t-elle en s'approchant du bord du bassin.

Certes, ils étaient grands, mais Dan était invalide.

— Tu as tout de même des désirs, des besoins, dit Jack. Tu as forcément eu un *boy friend* ?

Il la scrutait avec une attention gênante.

— Oui, à l'université.

— Il était comment ?

Elle n'avait pas été une adolescente précoce. De plus, elle avait fréquenté un lycée de filles et, à l'époque, c'était plutôt Tara qui plaisait aux garçons.

— Il attendait plus de moi que je n'étais disposée à donner, se borna-t-elle à répondre.

Elle avait fini par accepter de sortir avec un gentil garçon qui lui tournait autour depuis longtemps, en espérant ne pas tomber amoureuse. Elle ne voulait pas ressembler à sa mère qui avait tout quitté pour suivre sa dernière passion. Elle tenait à assumer ses responsabilités.

Finalement, il lui avait reproché d'être trop distante et réservée, de le faire toujours passer en dernier. Ce qui était vrai.

— Qu'attendait-il ? insista Jack.

Eludant la question, elle secoua la tête.

Elle avait créé son blog juste après leur rupture, publiant des photos et toutes sortes de listes amusantes sur des sujets futiles, avant de se mettre à tourner des vidéos. Ensuite, avec la maladie de Dan, elle n'avait plus eu le temps ni l'occasion de faire des rencontres.

— Et toi ? répliqua-t-elle en battant des cils. Tu as certainement eu d'innombrables petites amies !

— De brèves aventures, corrigea-t-il. Jamais rien de sérieux. Le travail avant tout.

— Comme moi, acquiesça-t-elle avec un clin d'œil à la Steffi Leigh.

Un instant, elle fut tentée de tout lui raconter au sujet de Dan, mais elle se ravisa. Son frère et sa mère étaient tellement malheureux ! Elle préférait être forte. De toute façon, Jack avait ses propres soucis ; elle s'en était rendu compte dès qu'elle l'avait vu.

Il souffrait de la solitude. Intensément.

Elle ne voulait pas ajouter à son fardeau.

— Tu es restée au soleil bien trop longtemps. Viens, dit-il soudain d'une voix enjôleuse en lui tendant la main pour l'aider à sortir de l'eau. J'ai envie de faire l'amour.

— Il ne s'agit pas d'amour, mais de sexe, précisa-t-elle plus pour elle-même que pour lui en saisissant sa grande main.

— Peu importe. C'est tellement bon…

Toute ruisselante, elle se lova contre lui et l'embrassa pour s'empêcher de lui livrer ses secrets.

Elle avait une envie folle de se confier, de s'appuyer sur lui.

Mais c'était impossible.

8.

— Cet endroit est tellement beau qu'il est presque irréel.

Jack se redressa pour contempler Stephanie. C'était elle qui semblait sortir d'un rêve. Les cheveux emmêlés, les pommettes roses, elle lui souriait avec une expression irrésistible.

Ils étaient allongés sur le grand lit de repos, au bord de la piscine, cachés à la vue par des voilages blancs qui donnaient l'impression d'être sur un nuage. Ou au paradis.

— C'est presque trop parfait. Comme dans un film…, ajouta-t-elle dans un murmure.

Malheureusement, elle allait bientôt repartir et le laisser seul pour la nuit, songea Jack tristement.

— Tu vas beaucoup au cinéma ? demanda-t-il en refoulant l'anxiété qui le gagnait.

Le regard de Stephanie se fit lointain.

— Cela m'arrive…

Il avait envie de bavarder, de tout et de rien, pour tromper son inquiétude.

— J'adore le cinéma, reprit-il.

— Ah bon ?

— Cela t'étonne ? Je passe beaucoup de temps dans les avions.

— Tu n'en profites pas pour travailler ?

— Si, pendant quelques heures. Mais il faut bien se distraire un peu.

— Les femmes sont ton divertissement préféré, non ?

Elle regarda autour d'elle en soupirant.

— Des escapades comme celle-ci, de un jour ou deux… tu dois en vivre constamment.

— Pas du tout.

Comme elle esquissait une moue sceptique, il protesta avec indignation. En fait, il n'avait jamais fait cela, et encore moins avec une relation d'affaires. Et il n'avait jamais connu un tel plaisir.

— Viens près de moi.

Il la serra contre lui et roula pour l'emprisonner sous le poids de son corps. Il voulait la garder ainsi. Longtemps.

— Quelles sont tes distractions, à toi ?

— Les livres d'art. Je les achète sur Internet. C'est mon péché mignon.

— Tu ne vas pas dans les librairies ?

Une ombre voila son regard, et elle se força à rire.

— Je n'ai pas le temps.

Parce que son blog l'accaparait ?

Il essaya de sourire malgré la sourde angoisse qui l'étreignait. Grâce à Stephanie, il était parvenu à la tenir à distance toute la journée. Il ne voulait pas qu'elle s'en aille. Maintenant que le moment de la séparation se rapprochait, sa libido se réveillait.

— Reste encore une nuit, chuchota-t-il, comme la veille.

Immédiatement, elle se crispa.

— Ne t'inquiète pas pour ton blog, ajouta-t-il.

Mais autre chose la tracassait, il en était sûr.

Elle se rongea l'ongle du pouce en réfléchissant. Il retint son souffle.

— Si je te vends *La Liste*, dit-elle soudain, je ne veux jamais te revoir. Et j'arrêterai définitivement de publier sur mon blog.

Il accusa le coup. Il avait du mal à comprendre une décision aussi radicale. Pas en ce qui le concernait, car leur relation n'avait aucune chance de durer, mais pour le blog qui semblait prendre toute la place dans la vie de Stephanie. Elle ne pouvait pas abandonner aussi brusquement sa passion et sa raison d'être.

Craignait-elle des interférences de sa part ? Il voulut la rassurer.

— Ne t'inquiète pas, tu pourras continuer comme avant. Je vis aux Etats-Unis, et je voyage énormément. Nous n'aurons pas l'occasion de nous revoir.

Une boule lui noua l'estomac pendant qu'il disait cela. C'était pourtant la pure vérité.

Elle s'écarta un peu et le regarda droit dans les yeux.

— Je dois t'avouer quelque chose.

Le cœur de Jack se mit à battre plus fort. Elle était sur le point de lui dire quelque chose d'important, quelque chose qu'il avait très envie d'entendre…

— On m'aide beaucoup, pour tenir ce blog.

Elle ramena le drap sur elle avant de poursuivre.

— Comme je ne peux pas être partout, j'utilise les informations que me fournissent des amies. Mais je vérifie tout… et j'attends toujours d'avoir un deuxième avis. Donc, je ne suis pas l'unique auteur de ces listes. Je dépends des autres… Je suis un imposteur.

C'était tout ?

— Tu es très honnête, Stephanie.

— Non. Steffi Leigh n'existerait pas sans les autres.

— C'est pareil pour tout le monde, même les gens les plus créatifs ! On prend forcément des idées à droite à gauche, au hasard des rencontres. Je serais plus inquiet si tout venait de toi.

Il lui caressa les cheveux.

— Il n'y a aucun mal à se faire aider.

— Cela dépend dans quelles proportions, insista-t-elle avec un air coupable.

— Arrête de te tracasser pour rien. Chacun sait qu'on ne peut pas fonctionner autrement. Même moi.

Elle finit par esquisser un sourire.

— C'est vrai ?

— Mais oui.

Il profita de son soulagement pour entonner son refrain préféré.

— Dors ici cette nuit encore. Je dois retourner à Melbourne demain matin. Nous rentrerons ensemble.

Il fallait qu'elle reste pour l'empêcher de penser à son rendez-vous.

Elle se rembrunit.

— Jack, je dois…

— Appeler Tara, je sais, la coupa-t-il avant qu'elle n'invoque quelque autre raison. Mais *reste*.

Il y eut un long silence. Au supplice, il se retint de l'embrasser pour achever de la convaincre et lui arracher son consentement. Il dut rassembler toute la force de sa volonté pour ne pas bouger quand elle posa une main caressante sur son torse.

— Je ne peux pas dire non à cela, chuchota-t-elle enfin.

— A quoi ?

— A toi…, avoua-t-elle dans un souffle.

Dieu merci ! Il prit ses lèvres avec un grognement indistinct et se perdit dans le plaisir qu'elle lui offrait.

Il n'était pas à côté d'elle dans le lit. Encore…

Stephanie se sentit étrangement déçue. Elle ne connaîtrait pas la sensation de se réveiller auprès de Jack, puisqu'ils ne coucheraient plus jamais ensemble. C'était leur dernière nuit…

Elle jeta un coup d'œil à son portable pour vérifier qu'elle n'avait pas de message. Il était un peu plus de 2 h 30 du matin. L'inquiétude empêchait probablement Jack de dormir.

Ils avaient passé une soirée merveilleuse. Pendant qu'ils prenaient un bain, on leur avait encore apporté un repas délicieux. Ils l'avaient savouré en gardant un ton léger, et en bavardant de tout et de rien.

Cependant, plus le temps passait, plus elle avait des remords.

Un peu plus tôt, dans l'après-midi, alors qu'elle s'apprêtait à parler de Dan, Jack l'avait interrompue. Il semblait tellement heureux quand elle avait accepté de rester qu'elle n'avait plus osé aborder le sujet ensuite.

Elle aurait eu l'impression de tout gâcher.

La batterie de son portable était très faible, et elle n'avait pas de chargeur, mais il était trop tard pour en demander un aux employés de l'hôtel. De toute façon, ce n'était plus la peine. Dans quelques heures, elle serait rentrée.

Ces deux jours de rêve, hors du temps, ne seraient bientôt plus qu'un souvenir.

S'enveloppant dans un drap, elle sortit sur la galerie.

Jack était dans le noir, installé dans un fauteuil, perdu dans ses pensées.

— Tu n'arrives pas dormir ? demanda-t-elle en s'approchant.

— Je suis insomniaque, tu sais bien.

Comme elle aurait aimé pouvoir le libérer du sentiment

de désespoir et de solitude qu'il n'arrivait plus à cacher et qu'elle reconnaissait pour l'avoir bien souvent éprouvé !

— Les étoiles sont magnifiques ! s'exclama-t-elle.

— Un rien t'enchante, fit-il avec émotion. Toi aussi, tu es très belle. Ta peau resplendit au clair de lune comme la nacre d'une perle.

Il la prit par la main, l'attira vers lui et enfouit les doigts dans la masse soyeuse de ses cheveux.

Tout à coup, elle sut exactement ce qu'elle devait faire pour l'apaiser. Elle s'agenouilla à ses pieds, entre ses jambes, et le drap glissa lentement à terre.

— Stephanie…

Elle lui caressa doucement les cuisses.

— Laisse-moi te donner du plaisir ! Tu l'as déjà fait tant de fois pour moi…

— Pas si souvent. Et pas assez, répondit-il en la prenant par la taille.

Refusant de céder, elle repoussa ses mains et sourit quand il capitula. Elle pouvait enfin explorer son corps d'homme sans être submergée par ses propres sensations. Son tour était venu de le conduire vers les sommets enivrants de la volupté, et elle s'en réjouissait.

Elle promena le bout des doigts sur son torse sculptural.

— Tu fais beaucoup de sport pour être aussi musclé ? demanda-t-elle.

— Du jogging, surtout. On peut courir n'importe où.

Il appuya la tête contre le dossier du fauteuil pendant qu'elle promenait sa bouche sur son ventre, en se rapprochant de plus en plus de son membre viril.

Jack l'avait complètement affranchie, et elle se grisait de cette liberté toute neuve. Peut-être était-ce le clair de lune qui aiguisait ses sens — le toucher, le goût, l'odorat… — mais aussi les réactions de Jack, son halètement, ses soupirs, ses gémissements.

Il glissa les doigts dans ses cheveux.

— Stephanie…, l'avertit-il dans un murmure.

Mais elle ne s'arrêta pas.

— Stephanie !

Il s'arc-bouta, rigide, en luttant contre lui-même, mais elle voulait aller jusqu'au bout.

Finalement, il s'abandonna et sombra dans la jouissance, offrant en même temps à Stephanie un exaltant sentiment de puissance.

Bientôt, on n'entendit plus que la respiration saccadée de Jack qui se calmait peu à peu.

Elle s'écarta pour contempler son expression.

— J'ai l'impression de me perdre en toi, dit-il, apaisé.

— A quoi veux-tu échapper ?

— A la peur.

D'un geste prompt, il la souleva dans ses bras pour l'installer sur ses genoux.

— A la solitude, ajouta-t-il en la serrant contre lui.

Elle se blottit au creux de son épaule.

— Pourtant, tu aimes ton indépendance.

— Oui, mais ce soir…

Il détourna le visage, mais elle prit ses joues râpeuses entre ses paumes pour l'obliger à la regarder.

— Jack ?

— Je vais rencontrer mon père biologique demain pour la première fois. Il ne le sait pas et s'attend à un simple rendez-vous d'affaires. Mes parents ignorent pourquoi je suis en Australie. Personne n'est au courant.

— Mais pourquoi ? demanda-t-elle, choquée.

— D'après mes renseignements, cela risque de mal se passer.

Le cœur de Stephanie se serra. Elle s'expliquait maintenant sa nervosité extrême.

— Pourquoi dis-tu cela ?

— Cet homme a une très mauvaise réputation. Par ailleurs... Mes parents adoptifs ont toujours soigneusement évité le sujet, prétendant ignorer jusqu'à son nom. Chaque fois que je posais des questions, ils détournaient la conversation.

— Ils t'ont menti ?

— Pas vraiment. Ils se sont justes dérobés, sans doute pour me protéger. Mais cela m'a fait du mal. J'ai besoin de savoir.

— Tu as peur de les blesser en cherchant la vérité par toi-même ?

Il hocha la tête.

— Demain est donc un grand jour pour toi.

— Oui, avoua-t-il avec un soupir douloureux.

— Comment pourrais-tu dormir tranquillement dans ces conditions ? Personne n'y arriverait. Cela a-t-il quelque chose à voir avec ta conversation au téléphone, le jour où nous nous sommes rencontrés ?

Il acquiesça.

Oui, tout s'expliquait.

Elle l'observa un long moment. Il avait *besoin* d'elle. Désespérément.

Elle pouvait l'aider, physiquement. Sa présence avait ce pouvoir, même si elle courait le danger de se laisser submerger par l'émotion. Elle était cependant prête à prendre le risque, généreusement, au mépris de toute prudence.

— Je suis là, chuchota-t-elle.

Résolument, elle se pencha pour l'embrasser. Puis

elle s'écarta un instant pour chercher un préservatif sur la table, à la lueur de la lune, et le lui tendit.

— Faisons comme si rien d'autre n'existait que cette nuit. Ce moment.

Ce n'était pas loin de la vérité. Pour eux deux, il n'y aurait rien de plus.

Elle s'installa sur lui à califourchon, les genoux de part et d'autre de ses hanches, et s'accrocha à ses épaules. Les mains de Jack se plaquèrent dans son dos pour presser sa poitrine contre son torse.

Le silence tomba. On n'entendit plus que le léger bruit de leur souffle.

Lentement, les yeux rivés à ceux de Jack, elle commença à bouger, comme si elle voulait tout absorber, le chagrin, la peur, l'inquiétude. Tout.

Elle frissonna. Jack se tendit quand sa respiration s'accéléra, et elle s'efforça de se relâcher. Mais c'était difficile. L'intensité du moment la bouleversait.

Ils s'immobilisèrent dans la sensation sublime d'une communion totale, comme si rien, jamais, ne pourrait plus les séparer.

Une paix extraordinaire les envahit, mêlée à une joie incommensurable.

Subjuguée, Stephanie eut l'impression de se noyer dans une félicité sans nom.

Les mains de Jack se posèrent sur ses seins pour les caresser, et elle se remit à bouger, sans hâte. Il l'obligea toutefois bientôt à accélérer le rythme.

— Non…, protesta-t-elle dans un sursaut de lucidité.

— Tu n'es pas prête ?

— J'ai envie que cela dure plus longtemps. C'est tellement bon ! Je me sens si bien avec toi…

— Comme tu veux. Je ferais n'importe quoi pour toi.

110

Il prit ses lèvres très doucement, glissant la langue à l'intérieur de sa bouche. Elle s'ouvrit davantage à lui. Elle s'offrit complètement à ses baisers, comme si elle voulait se mêler à lui, toujours plus et plus profondément.

Tout à coup, il resserra son étreinte et se leva. Parcourant les quelques mètres qui les séparaient de la chambre, il retomba avec elle sur le lit.

— Rien ne m'a jamais paru aussi délectable que cet instant, murmura-t-il contre sa bouche.

— Alors pourquoi t'es-tu arrêté ?

Il se mit à rire doucement.

— Je n'ai même pas commencé, ma chérie…

Jack remonta du bout des doigts le long de la colonne vertébrale de Stephanie, et redescendit à nouveau. Il adorait son grain de peau, si chaud, si lisse… Il aimait sa générosité, sa passion débridée. Il lui avait offert ce qu'elle voulait, retardant le plus longtemps possible l'iné- vitable explosion. A la fin, en larmes, elle l'avait presque supplié. Jamais il n'avait eu autant envie de donner du plaisir à une femme. Ils avaient sombré ensemble dans une volupté indicible.

Une communion parfaite.

Demain, il aurait enfin les réponses aux questions qui le tourmentaient depuis si longtemps. Et qui sait ? Cette rencontre ne se révélerait peut-être pas aussi désastreuse qu'il le redoutait. Avec la fée princesse qui veillait sur lui, tout était possible.

Elle possédait vraiment un pouvoir magique. Entre ses bras, il ne souffrait plus. Ses doutes et ses craintes avaient disparu, comme par enchantement.

Rien ne comptait plus, si ce n'était être avec elle. Voir

son sourire et la toucher. Se repaître de sa douceur et de son parfum. Sentir la caresse de ses cheveux sur son torse.

Elle s'était endormie. Lui n'arrivait pas à trouver le sommeil, mais cela ne le dérangeait pas. Il avait le corps en paix et l'âme sereine.

Stephanie lui avait offert ce que personne d'autre ne lui avait jamais donné. Il éprouvait avec elle une incroyable sensation de proximité, comme si elle comprenait tout de lui.

Ses soucis s'étaient évanouis.

Ses paupières lourdes finirent par se fermer. Juste avant de s'endormir, il resserra instinctivement son étreinte.

Comme un précieux talisman, elle repousserait aussi ses cauchemars.

9.

— Jack…

Malgré sa réticence à le réveiller, Stephanie se pencha sur lui. Il ne devait surtout pas manquer son rendez-vous.

— Jack, il faut se lever.

Il ouvrit enfin les yeux. La lumière du soleil inondait la chambre.

— Oh ! Je me suis endormi… *Vraiment.*

Elle hocha la tête.

— Nous devons nous dépêcher…

— Oui.

Il fronça les sourcils en se massant les tempes.

— Merci.

Elle se glissa hors du lit.

— Je vais juste prendre une douche.

— Bien sûr.

Il ne la retint pas par un baiser et ne la suivit pas non plus. A en juger par son air absent, il était déjà ailleurs. Leur brève aventure était terminée ; la réalité reprenait ses droits.

Mais, dans son cœur, elle avait du mal à l'accepter.

Pour s'obliger à se ressaisir, elle ouvrit le robinet d'eau froide. Il s'agissait de sexe. Rien d'autre. Jack lui avait proposé une rencontre sans lendemain pour tromper sa solitude, parce qu'il avait besoin d'une présence. Elle s'était donnée à lui en connaissance de cause.

Malgré tout, quelque chose la chiffonnait. Il accordait beaucoup de prix à l'honnêteté, et elle lui avait menti... Elle se raisonna. Dan n'avait rien à voir avec le contenu de son blog, et donc leur transaction commerciale. Ce n'était pas si grave. D'autant que leurs relations n'étaient qu'un bref intermède, purement physique de surcroît.

Elle se dépêcha de s'habiller pour libérer la salle de bains pour Jack.

Un quart d'heure plus tard, il la rejoignit sur la galerie, rasé de frais et vêtu du costume qu'il portait deux jours plus tôt. Comme sa robe verte, il avait été nettoyé et repassé par les bons génies invisibles des lieux.

Stephanie eut l'impression de remonter le temps jusqu'au premier instant de leur rencontre. Jack était redevenu un homme d'affaires imposant et intimidant, inaccessible.

— Allons-y, dit-il avec brusquerie.

Elle se contenta de hocher la tête.

Ils s'enfermèrent tous deux dans le silence pendant le long trajet jusqu'à Melbourne. L'esprit de Jack était probablement accaparé par son rendez-vous imminent, et elle ne voyait pas ce qu'elle pourrait dire pour l'aider à se détendre. Les bavardages légers de Steffi Leigh ne lui auraient été d'aucun secours. En outre, elle aussi était en proie à l'angoisse, car elle n'avait reçu aucun message de Tara ou Dan.

Elle se sentait horriblement coupable d'être partie deux jours sans prévenir son frère. Elle venait de se comporter exactement comme sa mère...

Il fallait absolument qu'elle sache si tout allait bien.

— Encore avec ton portable ? lança Jack en l'observant du coin de l'œil.

Elle haussa les épaules avec une fausse désinvolture.

— Il faut bien rattraper le temps perdu.

— Oui, soupira-t-il en jetant un coup d'œil à sa montre. Je n'arrive pas à croire que j'ai dormi aussi tard ! Cela ne m'était jamais arrivé. Ça ne t'ennuie pas si je vais d'abord à mon rendez-vous ? Je te déposerai ensuite chez toi et je rentrerai à l'hôtel en taxi.

— Pas de problème, prétendit-elle.

— Tu veux bien m'attendre, alors ?

— Evidemment.

Comme elle était faible… Elle ressemblait trop à sa mère. Il était grand temps de s'éloigner de Jack définitivement.

Jack n'en revenait pas de s'être aussi complètement détendu au cours des deux derniers jours. C'était miraculeux.

Cependant, depuis qu'ils avaient quitté Green Veranda, le comportement de Stephanie éveillait en lui des soupçons désagréables. Elle tapait nerveusement sur les touches de son téléphone et guettait ses messages avec une impatience fébrile. Il avait l'impression qu'elle n'était pas complètement sincère avec lui…

Quand il se gara sur le parking, à côté du bâtiment qui abritait le bureau de son père, il avait les mains moites et le cœur battant. La nervosité le dévorait. Pourtant, il n'avait rien à perdre. Après tout, il était heureux et menait une existence agréable, avec une famille aimante, un travail passionnant, de nombreux succès féminins…

— Je ne devrais pas être long, annonça-t-il. Enfin, je ne crois pas…

En réalité, même s'il y pensait depuis des années, il ne

savait pas du tout combien de temps durerait l'entretien, ni de quelle façon il l'aborderait.

Il avait peur.

Courage !

La réalité ne pouvait pas être pire que tout ce qu'il avait imaginé…

Comme il ne se décidait pas à bouger, Stephanie se pencha vers lui et posa la main sur sa joue.

— Tout va bien se passer.

Le son de sa voix le rasséréna un peu.

— Qui sait ? ajouta-t-elle doucement. Vous allez peut-être devenir les meilleurs amis du monde, et tu reviendras souvent à Melbourne.

Il esquissa un sourire. Dans ce cas, il la reverrait.

Il prit une profonde inspiration et sentit une énergie nouvelle couler dans ses veines. Au moment où elle s'écartait, il la prit par la nuque pour la retenir et, plongeant son regard dans le sien, l'embrassa.

Elle entrouvrit les lèvres avec un petit soupir. D'un seul coup, toute la tension qu'il éprouvait se dissipa.

Sans un mot, il descendit de voiture et franchit la porte du siège de l'entreprise de construction que possédait Darren Thompson.

Oui, il reverrait avec plaisir de temps en temps Stephanie Johnson.

Quand la porte vitrée se referma derrière lui, il se retourna vers le parking. La tête baissée, Stephanie tapotait de nouveau avec frénésie sur les touches de son portable.

Il rit doucement et choisit d'emprunter l'escalier plutôt que l'ascenseur. Il avait de l'adrénaline à brûler.

Au troisième étage, la réceptionniste l'accueillit

aimablement et l'accompagna jusqu'à un bureau au bout du couloir.

Debout derrière un amas de dossiers en désordre, Darren Thompson l'attendait. Il avait les cheveux bruns, striés de mèches grises, et les yeux marron.

— Jack Wolfe, P-DG des Editions Wolfe, n'est-ce pas ? dit-il en lui indiquant une chaise. Qu'est-ce qui vous amène ? Vous voulez vous lancer dans la construction ?

— Je ne suis pas ici pour parler affaires, répondit Jack.

Refusant de s'asseoir, il se dirigea vers la fenêtre et réprima un sourire en apercevant la voiture jaune pâle. Puis, il se retourna avec une expression déterminée.

— J'ai été adopté par la famille Wolfe. Ma mère biologique s'appelait Lisa Kelly. Je suis né un 19 juillet, il y a vingt-huit ans.

Darren Thompson ne cilla pas.

— En quoi cela me concerne-t-il ?

— L'année qui a précédé ma naissance, vous viviez avec ma mère.

L'homme le fixa sans rien dire, longuement.

— Je pense que vous êtes mon père, ajouta Jack quand le silence devint trop pesant.

En fait, il n'avait pas envie d'y croire. Le compte rendu du détective privé n'y incitait guère. Connu pour avoir subi plusieurs faillites professionnelles, Darren Thompson avait en outre de mauvaises relations avec ses employés, et une vie personnelle d'une moralité douteuse. Il avait même été arrêté pour agression sexuelle, mais la jeune femme, sa fiancée à l'époque, avait refusé de porter plainte.

Jack avait malgré tout voulu rencontrer cet homme, dont l'attitude présente correspondait malheureusement à la description.

— Aucune analyse biologique n'est sûre à cent pour cent, déclara Thompson avec une brutalité stupéfiante. Je ne vous reconnaîtrai jamais comme mon fils.

Glacé, Jack se figea.

— Vous voulez quoi, de l'argent ? reprit Thompson.

— Si vous étiez mieux renseigné sur les Editions Wolfe, vous sauriez que je n'en ai pas besoin, répliqua Jack froidement.

— Ce n'est pas parce qu'ils vous ont donné leur nom qu'ils sont prêts à partager leur fortune ! rétorqua Thompson avec mépris. Les motivations des gens ne sont pas toujours aussi nobles qu'ils veulent le faire croire. Un patron impitoyable adoptera un pauvre enfant abandonné pour améliorer son image…

— Ma mère ne m'a pas abandonné.

Elle avait *choisi* de lui assurer un bel avenir. Quant aux Wolfe, ils n'avaient fait aucune publicité autour de son adoption. Ils n'en avaient pas tiré parti.

— Non ? Elle se droguait et aurait fait n'importe quoi pour de l'argent. Tout allait bien entre nous, jusqu'au moment où elle m'a annoncé sa grossesse. Pourquoi aurais-je endossé une paternité dont je n'étais probablement pas responsable ? Elle couchait avec n'importe qui. Je lui ai proposé de régler le problème.

— C'est-à-dire ?

— J'ai offert de payer pour l'avortement, mais elle a filé.

Et elle avait bien fait de s'échapper des griffes de cette brute. Elle devait avoir eu très peur de lui, pour s'enfuir aussi loin. Jack comprenait maintenant pourquoi elle n'était jamais retournée dans son pays, et pourquoi elle avait eu besoin de stupéfiants pour traverser ces moments difficiles.

Un goût de fiel lui vint à la bouche.

— Merci de m'avoir accordé un peu de temps.

Il se dirigea vers la porte. Dans moins de trente secondes, tout serait terminé.

— Jack.

Entendre cet homme l'appeler par son prénom lui était insupportable. Il se retourna néanmoins.

Thompson s'était levé, une expression calculatrice dans le regard.

— Vous êtes réellement P-DG ?

— Oui.

— Euh…

Il passa un doigt dans son col de chemise.

— Vous m'avez un peu pris par surprise. Nous pourrions peut-être faire connaissance.

Il était encore pire que tout ce que Jack avait imaginé.

— Je n'en vois pas l'utilité, répondit-il. Nous en avons terminé.

Il sortit du bureau et dégringola l'escalier jusqu'au rez-de-chaussée.

Rien d'étonnant à ce que sa mère soit partie à l'autre bout du monde, en Indonésie, puis aux Etats-Unis. Pas étonnant non plus que ses parents aient cherché à le protéger de cet individu.

Lui avait-il transmis un quelconque héritage génétique ? Voilà qu'il se posait des questions. Il avait peur de ressembler à ce géniteur qui lui répugnait.

N'avait-il pas abusé de son pouvoir, avec Stephanie ? Lui avait-il réellement laissé le choix ? Tout à coup, il avait l'impression de l'avoir contrainte.

Le premier soir, il l'avait séduite sans ménagement, pour l'amener à rester. Incapable de contrôler son propre désir, il avait tout mis en œuvre pour la garder auprès de lui, égoïstement. Il ne pensait qu'à lui.

D'un autre côté, elle avait accepté. Elle aurait très bien pu dire non, si elle l'avait souhaité.

Le doute s'insinua plus profondément. Elle voulait surtout lui vendre son blog. Du coup, elle n'était pas vraiment libre…

La vérité lui fit l'effet d'un coup de poignard.

Maintenant, il regrettait d'avoir stupidement espéré, d'avoir voulu connaître la vérité. Mieux valait garder ses distances pour ne pas souffrir.

Il avait assuré à Stephanie que leur brève aventure, si aventure il devait y avoir, n'aurait aucune incidence sur leur négociation concernant son blog. Et il était sincère. Mais quel crédit avait-elle accordé à ses paroles ? Peut-être s'était-elle donnée à lui parce qu'elle ne pouvait pas faire autrement.

Il l'avait crue forte et sûre d'elle, mais sa manie de se ronger les ongles trahissait une grande anxiété. Sous le masque apprêté du personnage de Steffi Leigh se dissimulait une femme fragile et pas du tout sophistiquée, qui l'intriguait beaucoup car elle lui donnait l'impression de garder un secret.

Soudain, son téléphone vibra. Le numéro affiché sur l'écran était inconnu et il répondit avec brusquerie.

— Allô !

— Jack Wolfe ?

— Oui.

— C'est Tara.

— Tara ?

Il marqua un temps d'arrêt. La diva du maquillage ?

— J'essaie de joindre Steffi. Elle est toujours avec vous ?

— Oui, dans la voiture.

Le sang commença à bourdonner aux tempes de Jack.

— Que se passe-t-il ? Un problème ?

— Oui, Dan ne répond pas. J'ai laissé ma clé à l'intérieur, hier, quand je suis passée le voir, et je ne peux plus entrer.

— Vous me parlez de son chat ? fit-il, l'esprit confus.

— Non. Dan est le frère de Stephanie.

Le champion sportif ? Il fronça les sourcils ; il comprenait de moins en moins.

— Je suis certaine qu'il est là. Il ne sort jamais de l'appartement. Je suis très inquiète…

— Expliquez-moi calmement la situation, Tara.

— Je pensais que ça lui ferait du bien de passer deux jours à la dure en assumant seul le quotidien. Il profite tellement de Stephanie ! Elle est trop gentille avec lui. Elle n'est quasiment pas sortie depuis un an et demi, comme s'il la retenait en otage. Elle prend deux jours de vacances, et voilà tout le remerciement…

— Vous vous êtes disputée avec lui ?

— Je lui ai fait la leçon et, maintenant, il refuse de me répondre. J'ai peur. Je devrais peut-être appeler la police, ou une ambulance…

— Tara, quel est le problème, exactement ?

— Elle ne vous a rien dit ? Oh ! Mon Dieu… Elle va m'en vouloir à mort.

Jack tenta de la calmer, mais elle était complètement affolée.

— Elle est tellement têtue !

— Tara ! Dites-moi les choses clairement, pour l'amour du ciel !

Elle reprit son souffle.

— Dan a eu une méningite il y a à peu près dix-huit

mois. Il a été amputé d'un bras et d'une jambe. Il devrait maintenant commencer à aller mieux et à se débrouiller, mais il vit comme un invalide, complètement dépendant de Steffi. Depuis ce matin, il ne répond ni au téléphone ni aux coups de sonnette.

— Où est leur appartement ?

Il consulta rapidement un plan sur son portable. Stephanie et son frère habitaient dans une cité de banlieue, pas du tout dans un quartier chic, comme il l'avait imaginé.

— Nous pouvons y être assez vite. Nous ne sommes pas très loin.

Choqué par cette révélation inattendue, il prit note des informations supplémentaires que lui donnait Tara. Il comprenait maintenant pourquoi Stephanie tenait tant à vendre son blog. Elle entretenait un frère infirme qui exigeait apparemment beaucoup plus qu'elle ne pouvait offrir.

Pieds et poings liés, elle avait été dans l'incapacité absolue de se refuser à lui.

Il en eut la nausée.

Tout s'expliquait. Sa bonne humeur forcée, sa docilité souriante, sa crainte de manquer la transaction…

— Elle a de la chance d'avoir des amis pour l'aider, dit-il.

— Oui. Mais elle ne pourra pas continuer longtemps ainsi. Elle a besoin de mener une vie à elle.

— Elle a des projets ?

— Elle ne vous a vraiment rien dit ?

Non… C'était lui qui s'était livré, elle n'avait rien donné en échange.

Elle n'avait pas assez confiance en lui.

— J'ai vraiment besoin de parler à Stephanie, reprit Tara.

— Elle vous rappelle tout de suite.

— Parfait. Je suis vraiment désolée.

Certainement pas autant que lui…

Il était aussi terriblement en colère.

10.

Sans nouvelles, morte d'anxiété, Stephanie ne pouvait même plus joindre son frère ni Tara parce que la batterie de son portable était complètement déchargée.

Elle jeta un coup d'œil vers l'immeuble dans lequel Jack était entré pour aller à la rencontre de son père. Pourvu que tout se passe bien !

Elle s'inquiétait beaucoup trop pour lui. Il aurait mieux valu prendre du recul, mais elle ne pouvait pas s'en empêcher, parce qu'elle ne s'était jamais sentie aussi bien avec personne.

Hélas ! leur brève aventure touchait à sa fin. Jack allait retourner aux Etats-Unis, et elle ne le reverrait jamais. D'ailleurs, elle le savait depuis le début.

Quoi qu'il en soit, jamais elle n'oublierait cette dernière nuit passée avec lui. Il lui avait semblé lire dans ses yeux tant d'émotion… Et ses confidences à cœur ouvert lui avaient donné envie de s'épancher à son tour. Malgré tout, elle s'était retenue. Le moment était particulièrement mal choisi avant la rencontre de Jack avec son père.

Mais, tôt ou tard, il fallait affronter la réalité.

Même si Jack décidait un jour de mettre fin à son célibat, il choisirait une actrice ou un mannequin, le genre de femmes que son frère George fréquentait, qu'on voyait dans les pages people des magazines. Ou alors une intellectuelle…

Alors pourquoi gardait-elle un fol espoir ? Si Jack lui avait demandé de tout quitter pour courir le monde avec lui, elle aurait accepté sans réfléchir.

Ce trait de faiblesse lui inspirait un mélange de peur et de dégoût. Elle ne voulait pas faire comme sa mère qui avait fui ses responsabilités quand Dan allait si mal. Il n'était pas question de quitter l'Australie tant que son frère ne serait pas tiré d'affaire. Et, même alors, elle s'y résoudrait difficilement, et seulement en étant sûre d'avoir trouvé l'amour.

La portière du conducteur s'ouvrit brusquement, la tirant de ses réflexions.

— Cela a été très rapide, lança-t-elle. Tout va bien ?

Le visage pâle, la mâchoire serrée, Jack mit le contact en regardant droit devant, sans répondre.

— Jack ? Tu n'as pas envie d'en parler ? demanda-t-elle, les mains moites, en bouclant sa ceinture de sécurité.

— Pas plus que tu n'as envie de parler de ton frère infirme.

Elle se figea. Depuis quand était-il au courant ?

— Tara m'a téléphoné, ajouta-t-il.

Tara ? Pourquoi ?

Il jeta son portable sur ses genoux.

— Dépêche-toi de l'appeler.

L'estomac noué, elle composa le numéro de son amie, qui répondit aussitôt.

— Il est arrivé quelque chose ? fit-elle, la gorge serrée.

— Je ne sais pas, répondit Tara, au bord des larmes. Je suis devant la porte. Mais j'ai beau sonner et tambouriner, je n'obtiens aucune réponse. Dois-je appeler le concierge pour me faire ouvrir ?

— Quand l'as-tu vu pour la dernière fois ?

— Hier midi.

— D'après ton texto, tout allait bien hier soir.

— J'ai voulu le mettre face à la réalité. Il profite un peu trop de toi …

— Tu l'as laissé *seul* ? s'exclama Stephanie, atterrée.

— Il est parfaitement capable de se débrouiller. Il abuse de la situation…

— C'est mon frère, la coupa-t-elle sèchement. Je te faisais confiance… J'arrive tout de suite. Attends-moi.

Elle raccrocha. Apparemment, Jack savait où il allait. Elle était consternée.

— Un chat, hein ? lança Jack d'un ton mordant.

Il ne lui pardonnerait pas d'avoir menti.

— Je n'ai pas jugé utile d'en parler, bredouilla-t-elle. Cela ne te concernait pas…

Jack émit un rire amer avant de laisser s'installer un silence pesant.

Aux prises avec une angoisse sourde, elle n'osa même pas lui poser de questions sur sa rencontre avec son père… Reprenant le téléphone de Jack, elle composa le numéro de sa ligne fixe. Pas de réponse. Elle laissa un message à Dan, lui demandant de rappeler. Puis elle recommença, encore et encore.

Elle avait de plus en plus conscience d'avoir commis une erreur irréparable en s'échappant ces deux jours avec Jack.

L'inquiétude de Stephanie était douloureuse à voir. De temps à autre, Jack jetait un regard dans sa direction. Il attendait patiemment, en lui laissant encore une chance.

Elle ne la saisit pas.

Manifestement, il ne l'intéressait pas.

Ce constat l'ulcérait. Il comprenait le besoin qu'elle avait eu de construire le personnage de Steffi Leigh, une sorte de masque derrière lequel s'abriter pour oublier ses problèmes. Mais, justement, il avait cru établir une communication plus profonde, un partage d'émotions…

Quelle sottise !

Il fut soulagé d'arriver enfin devant son immeuble et descendit de voiture pour lui ouvrir sa portière.

— Je…

Elle s'interrompit, complètement paniquée, en évitant son regard.

— Eh bien… Merci b…

— Je viens avec toi, l'interrompit-il avec autorité. Que tu le veuilles ou non.

Face à son expression déterminée, Stephanie n'essaya même pas de l'en empêcher. S'armant de tout son courage, elle entra dans le hall de l'immeuble et s'engouffra dans l'ascenseur.

Tara l'attendait nerveusement sur le palier du sixième étage.

— Je suis tellement désolée ! s'exclama-t-elle.

— Nous discuterons plus tard, répondit Stephanie en mettant la clé dans la serrure.

— Dan ?

Elle se précipita dans sa chambre, qui était vide.

— Dan, où es-tu ?

Toujours pas de réponse… Dans le salon, les rideaux étaient tirés. La pièce sentait le renfermé.

Son frère était vautré sur le canapé devant la télévision. Vêtu d'un vieux pantalon de survêtement et d'un T-shirt plein de taches, il regardait un dessin animé.

Il finit par détacher les yeux de l'écran.

— Tu as pensé à racheter des chips ?

Stephanie resta un instant bouche bée avant de recouvrer ses esprits.

— Tara tape à la porte depuis des heures. Elle t'a appelé sans arrêt, et moi aussi. Pourquoi n'as-tu pas répondu ?

Le téléphone était juste à côté de lui…

Dan se contenta d'une moue boudeuse. Il avait délibérément choisi de la tourmenter.

Une colère sans nom s'empara d'elle.

— Pourquoi fais-tu cela ?

— Tu avais disparu, maugréa-t-il.

— Pour une fois que je m'accorde un peu de distraction…

— Tu te conduis en enfant gâté et capricieux, intervint Tara.

— Ne t'en mêle pas, s'il te plaît. Laisse-nous, dit Stephanie.

Son amie s'en alla à contrecœur, non sans lancer un regard noir à Dan.

— A bientôt…

Jack, qui avait assisté à la scène depuis le seuil, s'avança à ce moment-là, et Stephanie, qui avait complètement oublié sa présence, réprima une exclamation. Subitement, elle vit son appartement à travers ses yeux, avec un immense sentiment de honte. La table basse, en désordre, était couverte de tasses dépareillées et ébréchées. Les coussins du canapé étaient sales et élimés…

Un abîme incommensurable la séparait de l'univers luxueux dans lequel il évoluait.

Et il avait certainement aperçu par la porte entrouverte le minuscule coin de sa chambre où elle tournait ses vidéos… Steffi Leigh n'était qu'un leurre.

— Stephanie, puis-je…

— Non ! répliqua-t-elle furieusement, plus humiliée qu'elle ne l'avait jamais été.

Avec son costume impeccable et ses chaussures italiennes, il paraissait totalement incongru.

— Laisse-nous seuls, ajouta-t-elle sèchement.

Il s'immobilisa en la scrutant avec des yeux brûlants.

— Tout va bien, reprit-elle, les dents serrées. Je suis désolée de t'avoir infligé cela.

La tête haute, elle retourna dans le vestibule et il la suivit.

— Stephanie…

Il avait son intonation persuasive et déterminée mais, cette fois, elle ne céderait pas.

— Non, répéta-t-elle. Je n'ai besoin de personne.

— Tu as tort de refuser de l'aide, répliqua-t-il avec colère. Quelle ironie ! Tu sacrifies ta vie pour t'occuper de ton frère en te réfugiant dans l'univers factice de Steffi Leigh. En fait, tu ne veux laisser personne y entrer parce que tu as peur du monde réel.

Elle faillit le gifler.

— Tu ne vaux pas mieux ! Tu passes ton temps à voyager pour fuir tes problèmes. Tu te sers de ton travail comme excuse pour ne rien donner à personne.

Il encaissa le coup.

— Au revoir.

Comme il tournait les talons, elle se souvint brusquement du rendez-vous avec son père.

— Au fait, pour… ?

— Ton blog ? la coupa-t-il en se méprenant sur sa question. Il repose entièrement sur ta personnalité. Et, comme tu me l'as fait remarquer, tu n'es pas à vendre.

— Exactement.

Il avait raison sur tout. Elle ne pouvait rien recevoir de lui. Accepter son aide serait un aveu de faiblesse ; elle ne voulait rien lui devoir.

Rassemblant ce qui lui restait de dignité et de politesse, elle lui ouvrit la porte.

— Merci…, murmura-t-elle.

— Adieu, coupa-t-il.

Elle tira le verrou et ferma les yeux pour ne pas fondre en larmes.

Il lui fallut un long moment pour se calmer avant de retourner dans le salon.

— Qu'est-ce qui t'a pris ? lança-t-elle à son frère. Pourquoi n'as-tu pas répondu au téléphone ?

Comme il gardait le silence avec une expression butée, elle laissa libre cours à ses émotions.

— Tu veux me rendre coupable de ton état et me faire payer ? Mais jusqu'à quand ? Je ne suis pas responsable !

— Je sais, admit-il de mauvaise grâce. Mais tu es toujours tellement occupée…

— Je suis tout le temps *là* !

— Devant ton écran d'ordinateur.

— Pour gagner de l'argent ! Il faut bien manger.

— Tu ne comprendras jamais ce que je vis ! cria-t-il tout à coup.

— Non.

Marquant une pause, elle compta jusqu'à dix pour se maîtriser.

— Probablement pas. Et je ne peux pas non plus arranger les choses. Dieu sait pourtant si j'ai essayé.

Les larmes qu'elle était parvenue à retenir jusque-là se mirent à rouler sur ses joues.

— Tu dois reprendre ta vie en main, Dan. Je peux te

soutenir, mais pas agir à ta place. Je ne sais plus comment faire avec toi. J'en ai assez.

Elle partit dans sa chambre. Le coin « Steffi Leigh », avec son décor gai et coloré, la narguait. Comme c'était loin de la réalité… Quel échec lamentable !

Elle se jeta sur son lit et enfonça le visage dans l'oreiller pour ne plus rien voir.

— A l'aéroport, lança Jack au chauffeur de taxi.

Il était partagé entre l'envie de retourner vers Stephanie pour s'excuser et celle de partir au plus vite, pour aller de l'avant et ne plus penser à rien.

Il avait aussi besoin d'être seul. Il ne voulait pas imposer des soucis supplémentaires à Stephanie ; elle n'avait déjà que trop de problèmes à régler.

En tout cas, c'était clair : elle ne voulait pas de son aide et l'avait repoussé sans équivoque. Eh bien, tant mieux. Il avait de nouveau érigé des remparts infranchissables pour se protéger. La dernière chose qu'il souhaitait était sa gratitude.

Deux heures plus tard, il monta à bord d'un avion pour regagner les Etats-Unis. Il vit six films d'affilée mais, en arrivant à Los Angeles, il aurait été incapable de dire ce qu'il avait vu.

Impuissant à refréner sa curiosité, il n'attendit même pas d'avoir quitté le terminal pour sortir sa tablette. Il se brancha sur la Wi-Fi de l'aéroport pour consulter la dernière mise à jour de *La Liste*.

La fragilité de Steffi Leigh lui sauta aux yeux. Comment ses fans ne percevaient-ils pas l'inquiétude qui l'habitait malgré la gaieté et l'éclat de son sourire ?

Steffi Leigh n'était qu'une facette de Stephanie, dont la personnalité était infiniment plus complexe.

Il s'était trompé, en prenant pour argent comptant ce qu'elle racontait sur son blog. En réalité, elle ne sortait jamais et avait terriblement envie de voyager. Son enthousiasme au restaurant n'avait plus rien d'étonnant. A quand remontait son dernier dîner en ville ?

Son maquillage élaboré servait en fait à masquer sa tristesse. Elle s'obligeait à endosser le personnage de Steffi Leigh parce que son blog était devenu une source de revenus, un tremplin qui lui permettrait peut-être d'accéder à autre chose.

Il fut pris d'un désir fou de la serrer dans ses bras et de l'emmener dans un tourbillon d'aventures merveilleuses. Il lui ferait découvrir toutes sortes d'endroits extraordinaires.

Malheureusement, elle n'accepterait jamais rien de lui.

Elle l'avait accompagné à Green Veranda dans le seul et unique espoir de lui vendre son blog. Elle n'avait pas voulu dire non. Il la croyait sous le charme, mais elle s'était soumise à son caprice par obligation.

Quelle déception ! Pourtant, malgré sa souffrance, il voulait la libérer de la servitude du faux-semblant.

Elle refuserait tout ce qui viendrait de lui personnellement. Toutefois, il avait peut-être une chance de réussir en présentant les choses sous un autre angle…

11.

Pétrifiée, Stephanie relut le mail.

Jack lui faisait une offre pour son blog. C'était là, noir sur blanc, sans aucune allusion aux quelques jours qu'ils avaient passés ensemble.

Elle téléphona à Tara.

— J'ai reçu un message de Jack Wolfe.

— Le montant est correct ?

Stephanie fronça les sourcils.

— Tu es au courant ?

— Je… C'est-à-dire…

— Tu lui as encore parlé ! s'exclama Stephanie, paniquée.

Quels secrets son amie avait-elle encore révélés ?

— Il fallait bien relancer la négociation d'une manière ou d'une autre.

— Je ne veux pas la charité.

— Steffi, arrête de te dévaloriser ! Il est réellement intéressé.

Stephanie n'en croyait rien. Il l'avait prise en pitié, voilà tout.

— Tu as accepté ? demanda Tara.

— A ton avis ?

Elle avait refusé, bien sûr.

— Je suis désolée, soupira Tara. Je ne pensais pas que tu étais aussi affectée.

Stephanie raccrocha en essuyant une larme. Comme elle s'en voulait de souffrir autant pour un homme qu'elle avait connu à peine plus de quarante-huit heures ! C'était ridicule ! Pathétique.

Ils avaient tout de même partagé une passion infiniment rare, qui la consumerait longtemps. Elle était finalement aussi faible que sa mère.

— Stephanie ?

Oh là là ! Elle essuya furtivement ses joues avant de se tourner vers son frère.

Il se tenait sur le seuil, l'air embarrassé.

— Je regrette de m'être comporté comme un imbécile.

Il se racla la gorge.

— Mais… euh… En fait, j'ai terriblement peur.

Surprise, Stephanie le dévisagea.

— De quoi ?

— De tout. Absolument tout. Je n'ose même pas sortir dans la rue.

Il avança maladroitement avec ses béquilles et s'assit au bout du lit.

— J'ai cru que tu ne reviendrais pas. Que tu étais partie. Comme maman.

— Je ne ferais jamais une chose pareille ! dit-elle, horrifiée. Moi aussi, elle m'a abandonnée.

— Elle t'a laissée avec moi, ce qui est pire.

— Pas du tout ! protesta-t-elle. Je t'aime, Dan.

— Tu ne pleures pas juste à cause de moi, n'est-ce pas ?

Devant l'expression protectrice de son frère, le reste de colère qu'elle éprouvait retomba.

— Je l'ai entendu, reprit Dan. Il a dit que tu te servais

de moi comme prétexte pour ne pas vivre pleinement ta vie.

Elle ferma les yeux.

— Ce n'est pas vrai.

— Si. Il a raison. Tu as fait trop de sacrifices pour moi. Moi aussi, je me cache derrière toi.

Il baissa la tête.

— Tu mérites de rencontrer un homme bien, Stephanie. Le meilleur. Parce que tu es une femme extraordinaire.

Il passa le bras autour de ses épaules.

— Je suis vraiment désolé.

Elle appuya la tête contre lui.

— Moi aussi. Nous ne pouvons pas continuer ainsi à patauger dans la solitude…

— Toi, au moins, tu as réussi quelque chose avec ton blog.

— C'est du vent.

— Non, c'est *toi*.

— Une petite facette de ma personnalité. Mais ce n'est pas réellement moi.

— Alors montre-toi telle que tu es. C'est ce que tu faisais, avant.

Mais elle avait besoin de filtres pour les protéger, elle et lui.

— Qu'aurais-tu envie de faire, toi ? demanda-t-elle.

Il soupira.

— Je sais que tu as raison. J'ai besoin de m'occuper. De me remettre aux études ou même de voyager. En me confinant dans l'isolement, j'aggrave mon infirmité. Et je n'ai pas le droit de t'emprisonner avec moi. Nous devons reprendre le fil de notre vie, chacun de son côté.

— Dan… Je suis si triste pour toi.

— Ce n'était pas ta faute, Steffi. Tu n'es pas responsable. Je vais chercher un centre de formation et un logement en foyer.

— Tu n'es pas obligé.

— Si. Autrement, rien ne changera jamais.

Il était plus courageux qu'elle, songea-t-elle, envahie par une panique irraisonnée. Jack avait raison. Elle utilisait Dan pour se protéger.

— Tu vas me manquer.

— Nous nous verrons souvent. Ce ne sera sûrement pas facile tous les jours, mais je dois absolument surmonter mon handicap.

— Tu réussiras.

Elle refoula ses larmes et prit une profonde inspiration.

— Et moi aussi, ajouta-t-elle.

Jack, sur des charbons ardents, finit par appeler ses parents. Sa mère répondit aussitôt.

— Où es-tu ? demanda-t-elle anxieusement.

— A l'aéroport de Los Angeles.

Cela faisait deux heures qu'il attendait la réponse de Stephanie. Tant qu'il n'aurait rien reçu, il se sentait incapable de reprendre l'avion pour terminer la dernière partie du voyage.

— Tu vas bien ? Nous avons essayé de te joindre plusieurs fois... Ta secrétaire nous a appris que tu étais parti en Australie.

Sa mère était manifestement morte d'inquiétude. Il décida de tout lui dire.

— J'ai rencontré mon père biologique.

Il y eut un silence.

— Oh ! Jack ! Comment... Pourquoi n'as-tu pas...

— Je suis désolé.

— Tu aurais dû nous prévenir, nous t'aurions aidé...

Tout à coup, elle s'interrompit.

— Tout va bien ?

— Non…, fit-il en appuyant son front contre sa paume. Tu t'en doutes, non ?

— Non, Jack. Mais je regrette. Pour toi.

La colère monta en lui, remplaçant le vieux sentiment d'impuissance.

— Quand j'étais petit, chaque fois que j'abordais la question, tu changeais de sujet, la mine soucieuse.

— J'étais terriblement inquiète ! Nous ne savions pas grand-chose. Pendant longtemps, j'ai eu très peur qu'il ne t'enlève à nous. Je ne voulais pas te perdre, mais je ne cherchais pas à te détourner de lui.

— Excuse-moi, maman, dit-il, gêné.

— Comment cela s'est-il passé ?

— Mal. Il ne veut même pas me connaître. Il lui avait demandé d'avorter.

— Oh ! Jack… Ta mère avait une grande force d'âme, mais elle n'a pas pu s'en sortir seule. Elle savait que nous t'aimions et que nous te donnerions tout ce qu'elle ne pouvait pas t'offrir. Elle t'adorait, Jack. Elle a fait de son mieux.

Il avait beau comprendre, cela ne l'empêchait pas d'avoir mal. Et la blessure infligée par Darren Thompson était à vif.

— Comme tu ne posais plus de questions depuis longtemps, j'ai cru que le problème était définitivement réglé pour toi, reprit sa mère.

En fait, ni lui ni ses parents n'osaient plus en parler, et chacun s'était enfermé dans le silence pour ne blesser personne.

Il raccrocha en promettant de rentrer bientôt à la maison. Il avait besoin de réfléchir.

Au lieu de combler le vide qui l'habitait, il l'avait creusé. Il s'était coupé de ses parents alors qu'il aurait dû leur expliquer ce qu'il ressentait. Stupidement, et avec une lâcheté dont il n'avait pas conscience, il avait eu peur de leur réaction.

Son téléphone vibra dans sa main. C'était George. Leur mère l'avait probablement appelé à peine après avoir raccroché. Les Wolfe formaient un clan uni et chaleureux.

— Tu es rentré de voyage ? Tu as besoin de compagnie ? proposa son frère.

— Je te remercie, mais pour l'instant ça va. Je te contacterai quand je serai à Manhattan.

Il baissa les yeux sur sa tablette, qui était encore sur *La Liste*, avec l'avatar souriant de Steffi Leigh dans un coin. Il cliqua sur les archives et regarda sa première vidéo. Tellement Steffi, et pourtant si différente…

Son rire lui déchira le cœur.

L'enregistrement datait manifestement d'une époque antérieure à la maladie de son frère. Elle éclatait de jeunesse et d'insouciance. Il passa au clip suivant, puis à un autre encore.

Il comprenait pourquoi elle était devenue si populaire. Elle était drôle, pleine de vie. Ses innombrables listes révélaient une curiosité d'esprit et un enthousiasme insatiables.

Mais le ton avait changé depuis l'accident de Dan, indéniablement.

En revenant à la page d'accueil, il vit qu'elle avait posté une nouvelle vidéo : *L'envers du décor*.

— Bonjour, tout le monde.

Elle souriait, mais elle était pâle et avait les traits tirés.

— Vous vous êtes toujours demandé qui était là avec moi, dans la pièce, n'est-ce pas ? Eh bien, vous connaissez déjà Tara, la fée du maquillage.

Tara passa la tête devant la caméra pour dire bonjour en agitant la main.

— En fait, Tara me donne aussi un tas d'infos pour mes listes, ajouta Steffi. Comme d'ailleurs tous mes amis. Parce que je suis coincée à la maison avec mon frère, Dan, qui est là aussi avec moi.

Quand elle tourna la caméra vers son frère, Jack se pencha vers l'écran. Dan avait mauvaise mine, mais il souriait.

— Je vais poster moins de vidéos pendant quelque temps, parce que Dan et moi allons être très occupés. Un peu de patience donc, mais je promets de revenir avec de nouvelles idées.

Elle marqua une pause.

— Aujourd'hui, Tara va nous montrer comment réduire les yeux gonflés, quand on a pleuré toute la nuit, comme moi… Regardez.

Steffi Leigh se montra en gros plan en éclatant de rire, pour se moquer d'elle-même.

Pourquoi avait-elle pleuré ? se demanda Jack. A cause de son frère ?

Ou de *lui* ?

Son cœur se mit à battre follement. Elle souffrait, et il ne le supportait pas.

Aussitôt, il reprit son téléphone pour vérifier ses mails. Elle avait refusé sa proposition.

Sans rien évoquer de ce qu'ils avaient vécu ensemble, elle se contentait de décliner, d'une phrase polie.

Il se leva brusquement et se mit à arpenter le hall de l'aéroport, avec une nervosité incontrôlable.

Bientôt, un rire amer le secoua. Stephanie avait vu juste. Il fuyait constamment lui aussi, en utilisant son travail comme prétexte pour voyager. Il ne restait jamais assez longtemps quelque part pour nouer des relations durables avec les gens. Ainsi, il éliminait tout risque d'être rejeté.

Néanmoins, Stephanie valait la peine de courir ce risque.

Le peu de temps qu'il avait passé avec elle avait suffi pour l'envoûter. Même si elle ne lui avait pas vraiment ouvert son cœur, elle lui avait donné beaucoup.

Et elle avait relevé le défi qu'il lui avait lancé. En élargissant le champ de la caméra, elle avait ôté le filtre protecteur et exposé son être véritable.

Stephanie Johnson et Steffi Leigh s'étaient réunies en une seule et même personne, avec beaucoup de courage et de force de caractère.

Cependant, son esprit d'indépendance lui portait tort en l'empêchant d'accepter son aide. Comme lui, elle avait peur de souffrir, bien sûr.

Il ne lui ferait pourtant jamais aucun mal. Il aurait dû la rassurer davantage.

Jusqu'à quel point avait-elle fait semblant et joué un rôle avec lui ? Il ne pouvait pas passer le reste de sa vie à s'interroger. Mais, pour avoir la réponse, il lui faudrait de nouveau se dévoiler. Et cela lui faisait terriblement peur.

Pendant toute son existence, il avait seulement vécu à moitié, en se retenant.

Maintenant, il voulait tout.

12.

Stephanie fronça les sourcils en entendant frapper bruyamment à sa porte. Qui se permettait de la déranger si tôt le matin ?

Elle alla ouvrir et resta un instant bouche bée.

— Jack…

Il la fixa sans mot dire. Il avait une barbe de deux jours et semblait épuisé, mais il était plus beau que jamais. Elle chancela.

— Tu es toujours en Australie ? bredouilla-t-elle.

— Je suis revenu… Je peux entrer un instant ?

— Oui, si tu veux.

Le regard vide, indéchiffrable, il s'efforçait manifestement de conserver une attitude neutre, polie.

— Ton frère est là ?

Elle secoua la tête.

— Il est parti pour deux jours.

Elle était fière de Dan qui s'était décidé à conquérir son indépendance. En ce moment, il était dans une clinique pour travailler avec un kinésithérapeute et essayer des prothèses.

Jack la suivit dans le salon.

— Que lui est-il arrivé ?

— Tara ne te l'a pas dit ? répliqua-t-elle en lui indiquant une chaise.

— Pas entièrement, répondit-il en s'installant sur le canapé. Raconte-moi.

Elle hésita, mais il méritait tout de même une explication.

— Nous sommes partis en vacances ensemble, dans le Territoire du Nord, où je rêvais d'aller depuis toujours. J'avais tout organisé.

Dan l'avait aidée. Ils étaient très proches, à l'époque, et il avait participé de près à la création de son blog.

— Le jour du départ, il était très fatigué, à cause d'une grippe qui l'avait cloué au lit pendant une semaine. Il voulait rester à la maison mais, en même temps, il n'avait pas envie de me laisser toute seule. Nous étions dans le bush, loin de tout, quand une terrible migraine l'a terrassé, avec une forte fièvre.

— Une méningite ?

— Oui. Il a failli mourir. On a dû l'amputer d'une jambe et d'un bras, à Darwin.

— Ta mère vous a rejoints ?

Elle eut un rire amer.

— Elle a choisi ce moment pour divorcer de son deuxième époux et se lancer dans un troisième mariage. Non seulement elle n'a pas été là quand on avait besoin d'elle, mais elle est partie en France pour suivre son nouvel amour... Sur un coup de tête, encore une fois.

Jack appuya les mains sur ses genoux, comme pour s'empêcher de se lever et de faire les cent pas.

— Ta mère est tributaire des hommes... Dan de sa sœur... Et toi, à qui te raccroches-tu ?

Le cœur de Stephanie se mit à battre la chamade.

— J'ai mes amis, Tara en particulier.

— Mais tu ne lui racontes pas la moitié de tes problèmes, n'est-ce pas ? Parce qu'elle n'hésite pas à te parler franchement.

— Je ne veux pas l'ennuyer. Et j'ai horreur de la pitié.

Elle releva le menton pour se réfugier dans la dignité.

— Je n'ai besoin de personne.

— Tu veux surtout ne dépendre de personne, dit-il en souriant tristement. J'étais comme toi, jusqu'à très récemment... Mais je me suis finalement rendu compte que j'étais dans l'erreur.

Craignant ce qui allait suivre, Stephanie se dirigea nerveusement vers la fenêtre.

— Tu as fait tout ce chemin pour me parler de Dan ?

— Oui. Parce que nous aurions dû avoir cette conversation avant mon départ.

— Au sujet de mon frère ?

— Oui.

— Et de ton père ? lança-t-elle sèchement, fâchée de cette intrusion dans sa vie privée.

— Aussi, oui, acquiesça-t-il sombrement.

— Que s'est-il passé ?

— Il a été ignoble. Aussi affreux que je l'imaginais. Ne voulant rien savoir de moi, calomniant ma mère... Puis, à la dernière minute, se ravisant parce qu'il pensait pouvoir tirer profit de moi pour ses affaires...

— Oh ! Je suis désolée...

— Ne t'inquiète pas, je m'en remettrai, même si c'est douloureux. Ce n'est pas comme si j'avais beaucoup espéré de cette rencontre. Mes frères et mes parents me soutiennent ; ils sont formidables. Je continuerai à avancer.

La gorge de Stephanie se serra.

— Tu as des projets de voyage ?

Il haussa les épaules.

— Comme toujours. Mais je tenais d'abord à te présenter mes excuses.

— Pourquoi ?

— Je n'aurais pas dû insister pour que tu m'accompagnes à Green Veranda. J'ai conscience de t'avoir forcé la main.

— Tu crois que je n'avais pas envie de rester ?

— Tu voulais surtout me vendre ton blog parce que tu avais besoin d'argent pour ton frère.

— Tu doutes de ma sincérité ?

Jamais elle n'aurait imaginé une chose pareille ! Une violente colère monta en elle, tandis que Jack choisissait prudemment ses mots.

— Pardonne-moi.

— De quoi ? De m'avoir offert les meilleurs moments de ma vie ? lança-t-elle en le toisant furieusement.

— Je regrette… la façon dont cela s'est passé.

— C'est-à-dire ?

— Je t'ai séduite. J'ai abusé de toi.

Oh ! Quelle idée bizarre !

— Me crois-tu totalement dépourvue de volonté ? protesta-t-elle. J'aurais pu dire non, il me semble.

Il parut confus.

— Si j'avais dit non, tu te serais arrêté ? reprit-elle.

— Bien sûr.

— Alors où est le problème ?

Quels remords ridicules !

— Tu n'as pas à t'excuser pour ce qui est arrivé à Green Veranda, mais pour…

— Pour quoi ? demanda-t-il quand elle s'interrompit.

Il la prit par les hanches pour l'empêcher de reculer.

— Je ne me suis pas prostituée ! s'exclama-t-elle. C'est une idée totalement ridicule ! Je suis incapable de me comporter ainsi. D'ailleurs, j'avais plutôt peur de tout compromettre en couchant avec toi. Mais j'en avais follement envie. Alors j'ai dit oui.

— Tu n'avais pas vraiment le choix.

— Tu ne m'as obligée à rien.

Elle leva les yeux au ciel.

— J'étais consentante. Comment puis-je te convaincre ? J'ai vécu des instants merveilleux. Tu as été tellement généreux… Tu es dénué de tout égoïsme. Physiquement, en tout cas.

— Merci, murmura-t-il, très pâle. Je suis désolé.

— Mais pourquoi ? Vraiment, je ne comprends pas.

— Quand j'étais petit, j'ai posé des questions à mes parents sur mon père biologique. Ils m'ont dit qu'ils ne savaient rien, mais j'ai perçu leur inquiétude et leur tristesse. Même si je redoutais le pire, j'avais besoin de savoir.

— Oui.

Obéissant à une impulsion, elle posa une main apaisante sur sa joue.

— En réalité, ils ne me cachaient rien. Ils avaient seulement quelques soupçons qui se sont malheureusement avérés. C'est un homme violent, une brute. Brusquement, j'ai eu peur de lui ressembler.

— Oh ! Jack…, fit-elle, bouleversée.

— Sur ces entrefaites, Tara m'a téléphoné et j'ai découvert la vérité sur ton frère. Inévitablement, je me suis demandé pourquoi, après ce que nous avions partagé, tu avais choisi de garder un secret aussi lourd. Cela m'a profondément blessé.

— Tu avais assez de soucis…

— Il ne fallait pas mentir. Je t'aurais aidée, réconfortée.

— Vraiment ? dit-elle faiblement tandis qu'il l'attirait plus près.

Elle avait peur de croire à la lueur qui brillait dans ses yeux.

— Nous nous connaissons à peine, objecta-t-elle.

— Crois-tu au coup de foudre ?

Elle hésita et garda le silence.

— Moi oui, affirma-t-il en riant doucement. Au moment précis où je t'ai vue pour la première fois, j'ai senti un déclic, à l'intérieur, avec une attirance physique très forte. Ensuite, en apprenant à te connaître, j'ai admiré ta force de caractère, ta loyauté, ta générosité.

Il soupira.

— J'ai toujours éprouvé une sensation de manque, une crainte diffuse. J'espérais trouver la paix en me lançant à la recherche de mon père biologique. Finalement, cela n'a rien arrangé. Et cette impression de vide n'avait de toute façon rien à voir avec lui.

Il prit le visage de Stephanie entre ses paumes.

— Tu l'avais déjà comblé avec ton rire léger et cristallin. Je veux le retrouver et te garder avec moi. Parce que quand tu n'es plus là…

Terrifiée, elle serra les poings.

— Je ne veux pas dépendre de toi…

— Tu fais bien confiance à Tara et à tes amis. Pourquoi pas à moi ?

— Je n'éprouve pas la même chose pour toi et pour eux, chuchota-t-elle.

— Je suis heureux de l'entendre. Que ressens-tu pour moi, alors ?

— C'est tellement intense que cela m'effraie, admit-elle. Un seul regard de toi, et je suis prête à…

— A quoi ?

— A te suivre au bout du monde… A satisfaire le moindre de tes caprices, et à obéir à toutes tes volontés.

Elle se recroquevilla sur elle-même.

— J'ai peur de ne plus m'appartenir, de devenir comme ma mère en abandonnant tout pour un homme.

— Rassure-toi, je ne te demanderai jamais de tout quitter. Mais nous ne pouvons pas continuer à ignorer ce qu'il y a entre nous. C'est tellement fantastique…

Il la prit par les épaules et plongea son regard dans le sien.

— J'ai vu de près le grand amour, Stephanie. Mes parents adoptifs m'ont donné la preuve que cela existe. Ne laissons pas passer notre chance. Nous pourrions être tellement heureux, tous les deux !

Il scruta longuement son expression avant de poursuivre :

— Avant de te rencontrer, je n'avais même pas conscience de ma solitude. Puis, quand je t'ai perdue, elle est revenue, et cela m'a fait l'effet d'une gifle en pleine figure. Fais-moi confiance. Et fais-toi confiance. Veux-tu au moins essayer ?

Le cœur de Stephanie battait à tout rompre. Elle connaissait déjà la réponse, bien avant qu'il frappe à sa porte. Elle avait choisi le courage contre la lâcheté, même si la peur la tétanisait.

— Oui.

Il la prit dans ses bras pour l'embrasser et elle s'agrippa à ses épaules de toutes ses forces.

— Comment ferons-nous ?

— Je resterai ici. J'aime beaucoup l'Australie.

Elle secoua la tête.

— Je ne veux rien t'imposer. Nous pouvons peut-être trouver un compromis ?

— En vivant un peu partout ? Tu devrais commencer à faire une liste de tous les endroits où tu as envie d'aller.

Elle lui jeta un regard malicieux, à la Steffi Leigh.

— Pour l'instant, j'ai surtout envie d'autre chose.

Ils se perdirent dans un long baiser passionné qui effaça comme par magie la souffrance et l'inquiétude des derniers jours. Petit à petit, leur fougue se mua en sensualité pure.

— J'ai besoin d'être avec toi, naturelle et sans fard, murmura-t-elle. Je veux te sentir à l'intérieur de moi, au plus profond.

— J'ai aussi une liste à moi, déclara Jack avec un rire provocant.

— Ah bon ?

— J'y ai pensé pendant tout le voyage en avion. « Dix manières délicieuses de faire crier Steffi Leigh ».

Elle lui ôta son T-shirt avant de le renverser sur le canapé.

— J'ai hâte de les découvrir…

Epilogue

Un an plus tard

Jack serra la main de l'infirmière-chef et se dirigea vers la voiture en tenant Stephanie par la taille.

Cette dernière avait gardé un silence inhabituel tout au long de leur visite à l'orphelinat. Visiblement très émue, elle était restée un peu en retrait pendant qu'il jouait avec les enfants et lisait un des livres qu'il avait apportés pour la bibliothèque.

— On a envie de tous les emmener, n'est-ce pas ?

Elle hocha la tête.

— J'ai presque honte de retourner dans notre hôtel luxueux…

— Ne te culpabilise pas. Nous faisons ce que nous pouvons.

Il la serra contre lui tandis qu'elle essuyait une larme. Il avait hâte de rentrer, de se retrouver seul avec elle dans leur chambre.

Dès qu'ils arrivèrent, elle se blottit amoureusement au creux de ses bras.

— Nous pourrions au moins en prendre un avec nous, tu ne crois pas ? demanda-t-elle doucement.

— Tu veux adopter ?

— J'aimerais bien, oui. Mais c'est un peu dur d'enlever quelqu'un à son pays d'origine.

— C'est ce que j'ai fait avec toi.

Depuis qu'elle était partie aux Etats-Unis avec lui, ils n'arrêtaient pas de voyager. Elle actualisait régulièrement son blog, de l'endroit où elle se trouvait, et n'avait plus besoin de personne pour la renseigner.

— Nous retournons tout le temps en Australie ! protesta-t-elle en riant.

C'était vrai. Ils y passaient presque six mois par an pour ne pas perdre le contact avec Dan.

— Je veux revenir très souvent ici avec toi, en Indonésie, dit-elle. Pour aider, moi aussi, dans la mesure de mes moyens.

Ses yeux vert émeraude brillaient d'une flamme incandescente. Depuis un an qu'ils vivaient ensemble, le désir et la passion, entre eux, n'avaient pas diminué. Curieusement, ils semblaient même s'exacerber.

Jack se décida à formuler la pensée qu'il avait en tête depuis quelque temps déjà.

— Nous devrions peut-être d'abord nous marier, avant de songer aux enfants.

Tandis que Stephanie le dévisageait d'un air éperdu, il sortit de sa poche le cadeau qu'il conservait précieusement en attendant le moment opportun.

De nouveau, elle fut au bord des larmes en découvrant un diamant magnifique, taillé spécialement pour elle.

Optant pour la tradition, il mit un genou à terre devant elle et passa la bague à son doigt.

— Quand je t'ai rencontrée, je me préoccupais surtout du passé. Maintenant, je veux construire mon avenir avec toi. Acceptes-tu de m'épouser ?

— Oh oui !

Elle se pencha pour l'embrasser.

— Je t'aime, Jack Wolfe.

— Je t'aime, Stephanie Johnson. Pour toujours.

Une heure plus tard, Stephanie roula sur le côté et attrapa son téléphone. Choisissant le meilleur angle, elle prit sa bague en photo.

— Pour ton blog ? demanda Jack.

— Non ! répondit-elle en riant. Pour mon frère.

Elle continuait à tenir son blog, mais avec des mises à jour plus espacées, et avait complètement abandonné l'idée d'en tirer de l'argent. Elle avait aussi convaincu Tara de participer davantage. Leurs deux noms apparaissaient maintenant sur la page d'accueil.

Elle avait également écrit quelques contributions pour les guides Wolfe, et pris des photos pour le site web.

En lisant le message de réponse de son frère, elle sourit avec attendrissement. Il raffolait des émoticônes.

— Il veut venir passer Noël à New York avec nous, annonça-t-elle.

— C'est fantastique !

— Oui.

Dan suivait des cours à l'université avec l'intention de devenir professeur. Il avait aussi repris l'entraînement pour participer à des compétitions de handisport.

— Repose ton portable, Steffi Leigh, et occupe-toi un peu de moi.

Elle obtempéra pour se lover tendrement contre lui.

— Tu n'imagines pas à quel point je t'aime, chuchota-t-il.

— Si. De tout ton cœur, comme moi je t'aime.

— Oui, ma belle princesse de conte de fées…

Ce mois-ci
dans votre collection
Azur

Découvrez la nouvelle grande saga :
Le secret des Harrington

Les Harrington n'ont qu'un but : le pouvoir
Et qu'un rêve : la passion

8 romans inédits à découvrir à partir d'avril 2016

Retrouvez en mai,
dans votre collection

Azur

A la merci de Dario Olivero, de Kate Walker - N°3705

MARIAGE ARRANGÉ

Afin de décourager un prétendant trop insistant, Alyse a mis au point un plan parfait : elle va séduire un inconnu à la soirée de gala à laquelle elle est invitée. Un plan parfait, vraiment ? En théorie seulement. Car, sous les baisers brûlants de Dario Olivero, cet Italien plus époustouflant que tous les princes de conte de fées, elle se sent happée par la passion. Frappée par un véritable coup de foudre ! Et elle, d'habitude si sage, se laisse surprendre dans une position compromettante par son amoureux éconduit… Désormais, la voilà seule, fuyant dans la nuit. Car son prétendant lui a annoncé qu'il n'hésiterait pas, pour laver cet affront, à se venger d'elle et de sa famille…

Les tourments du désir, de Sarah Morgan - N°3706

COUP DE FOUDRE AU BUREAU

Nik Zervakis est conquis. Lily est si sensuelle, si pétillante… Cependant, il a pris la peine de la prévenir : avec lui, elle ne partagera que du plaisir. Des étreintes brûlantes qui ne déboucheront sur aucune relation. Hors de question que la jeune femme s'amourache de lui ! Pourquoi alors sent-il son cœur se serrer lorsque, au lendemain de leur unique nuit d'ivresse, il s'aperçoit que Lily a disparu ? Hanté par le souvenir de sa peau douce sous ses doigts, Nik prend aussitôt sa décision : il retrouvera Lily, et lui demandera de l'accompagner au mariage auquel il est invité sur une île grecque. Après tout, tant qu'il se retient de céder de nouveau au désir, il ne brise pas vraiment leur accord…

Une seule nuit entre ses bras, de Joss Wood - N°3707

Victoria enrage… Comment Matt, son nouveau colocataire, a-t-il osé lui refuser le moment de plaisir auquel ils aspirent tous les deux ? Pour ajouter à son humiliation, voilà qu'elle le retrouve à présent à la soirée professionnelle qu'elle organise. Car, bien sûr, en plus d'être irrésistible, Matt est un attaché de presse réputé, qui lui propose bientôt de collaborer avec lui ! Si Victoria a l'impression d'être hantée par son beau regard vert, elle sait également qu'elle ne peut refuser une offre aussi intéressante. Même s'il devient évident que leur désir est réciproque, et que, malgré leurs différences, ils ne pourront pas s'interdire éternellement de céder à la passion…

HARLEQUIN · *Azur*

Sous l'emprise d'un play-boy, de Melanie Milburne - N°3708

Daisy est encore sous le choc : a-t-elle vraiment annoncé à la presse qu'elle était engagée dans une relation sérieuse avec Luiz Valquez, le célèbre joueur de polo, connu pour être un incorrigible play-boy ? A-t-elle perdu la tête ? Bien sûr, elle n'avait pas d'autre choix pour préserver sa réputation, alors que les journalistes l'avaient surprise au petit matin sortant de la chambre d'hôtel de l'illustre sportif. Hors de question pour elle, institutrice distinguée dans une école privée de Londres, de laisser penser qu'elle s'est abandonnée à une aventure d'un soir… Mais que va-t-elle faire, maintenant ? Pour sauver les apparences, elle est désormais condamnée à passer le reste de son séjour à Las Vegas auprès de Luiz, et n'a qu'une peur : tomber sous le charme du bel Argentin.

Coup de foudre à Paris, de Dani Collins - N°3709

Depuis que Demitri Makricosta, le séduisant directeur des hôtels du même nom, a posé les yeux sur elle, Natalie a l'impression d'être sur un petit nuage. Demitri est un amant prévenant, romantique, et tellement passionné… Bien sûr, elle s'est toujours promis de ne pas entretenir de relation avec un collègue, mais vivre cette idylle à Paris, avec cet homme irrésistible, est un cadeau qu'elle ne peut refuser. D'autant qu'elle sait que leur histoire ne durera pas : Demitri est un séducteur sans attaches et, lorsqu'elle finira par lui annoncer qu'elle est la mère d'une petite fille, Natalie sait pertinemment qu'il s'enfuira à toutes jambes…

Une capricieuse ennemie, d'India Grey - N°3710

Tamsin Calthorpe… Son ennemie. Celle qui l'a fait exclure de l'équipe anglaise de rugby, six ans plus tôt… La jeune femme s'était jetée à son cou, et Alejandro D'Arienzo n'avait appris que trop tard qu'elle était la fille de son entraîneur.. Jamais il ne lui pardonnera d'avoir, par caprice, mis sa carrière en danger. Aujourd'hui, de retour sur les terrains, il compte donc se venger de cette héritière trop gâtée. Elle se prétend styliste ? Il la mettra publiquement au défi de venir travailler pour lui, en Argentine. Si elle refuse, cela prouvera à tous qu'elle n'est qu'une fille à papa qui a décroché ses précédents contrats par relation. Et si elle accepte… Alejandro a déjà imaginé bien des façons de faire passer sa colère…

Une indomptable fiancée, de Jennifer Hayward - N°3711

SÉRIE : LES MARIÉS DE L'ÉTÉ - 1ER VOLET

Depuis la mort de son grand-père, Rocco Mondelli n'a plus qu'une idée en tête : honorer la mémoire du vieil homme en reprenant les rênes de la maison de couture familiale. Hélas ! sa réputation de play-boy le dessert et, avant de pouvoir prétendre à ses nouvelles fonctions, il devra faire preuve de son sérieu. et de sa fiabilité. Pour cela, il doit trouver une fiancée ! Et justement, la ravissante Olivia Fitzgerald, ex-mannequin et véritable croqueuse de diamants, est dans le besoin… Sauf qu'au lieu d'accepter à bras ouverts son offre alléchante, la jeune femme rétorque à Rocco qu'elle tient farouchement à son indépendance. Une rébellion qui ne fait que décupler chez lui le désir dévorant qui l'a saisi au premier regard échangé avec Olivia…

Le piège de l'ambition, d'Annie West - N°3712

SÉRIE : L'AMOUR EN SEPT PÉCHÉS - 5E VOLET

Ainsi, Flynn n'a fait que… la manipuler ? Alors qu'elle vient de découvrir que son mari n'est qu'un menteur sans scrupules, Ava peine à réprimer ses tremblements. Ces retrouvailles inattendues à Paris, alors qu'ils s'étaient perdus de vue depuis sept ans, cette demande en mariage si romantique, qu'elle avait acceptée avec émotion… Tout ça n'était qu'une odieuse mascarade ? Certes, en tant que riche aristocrate anglaise, elle représentait un merveilleux parti pour Flynn, issu d'un milieu modeste. Mais comment a-t-il pu se jouer d'elle de la sorte, alors qu'elle était éperdument amoureuse de lui ? Dévastée, Ava sait qu'elle devrait bouillir de colère et se venger de Flynn. Hélas ! elle ne peut que se languir de son absence, et regretter les heures brûlantes passées entre ses bras…

Un redoutable adversaire, d'Abby Green - N°3713

SÉRIE : LE SECRET DES HARRINGTON - 2E VOLET

Elle devra se soumettre à un mariage arrangé ? Keelin a l'impression de vivre au siècle dernier. N'est-elle donc qu'un pion dans les affaires de son père ? Décidée à éviter coûte que coûte cette union qu'elle n'a pas choisie, Keelin sait qu'il lui reste une option : que son fiancé, Gianni Delucca, refuse de l'épouser. Face à cet homme raffiné et secret, elle n'aura qu'à se comporter comme la dernière des écervelées, la plus vulgaire des héritières, et il sera forcé de renoncer à cette mascarade ! Pourtant, lorsqu'elle rencontre Gianni pour la première fois, Keelin est fascinée. Et le regard méprisant qu'il pose sur sa tenue provocante lui transperce le cœur. Sera-t-elle capable de jouer le jeu jusqu'au bout ?

L'héritier rebelle, de Lynn Raye Harris - N°3714

SÉRIE : SCANDALEUX HÉRITIERS - 5E VOLET

En prenant place à une table de poker, dans un casino de Nice, Jack croise le regard d'une employée, une jeune femme ravissante qui fait aussitôt naître en lui un désir brûlant. Et quand il se rend compte que la belle Cara Taylor, accusée à tort par son patron d'avoir voulu le voler, pourrait être en danger, il n'a plus qu'une idée : l'emmener loin d'ici pour la protéger. Puisqu'elle se retrouve désormais sans travail, pourquoi ne pas lui proposer de la rémunérer pour l'accompagner en Angleterre, où il doit assister au mariage de son frère ? Une occasion qui pourrait lui permettre de montrer à Cara à quel point il la désire…

OFFRE DE BIENVENUE

Vous êtes fan de la collection Azur ?
Pour prolonger le plaisir, recevez gratuitement

◆ 2 livres Azur gratuits ◆
et 2 cadeaux surprise !

Une fois votre colis de bienvenue reçu, si vous souhaitez continuer à recevoir nos romans Azur, cela se fera automatiquement. Vous recevrez alors chaque mois 6 romans inédits de cette collection au tarif unitaire de 4,30€ (Frais de port France : 1,79€ - Frais de port Belgique : 3,79€).

➡ ET AUSSI DES AVANTAGES EXCLUSIFS :

➡ LES BONNES RAISONS DE S'ABONNER :

Aucun engagement de durée ni de minimum d'achat.
◆
Aucune adhésion à un club.
◆
Vos romans en avant-première.
◆
La livraison à domicile.

Des cadeaux tout au long de l'année.
◆
Des réductions sur vos romans par le biais de nombreuses promotions.
◆
Des romans exclusivement réédités notamment des sagas à succès.
◆
L'abonnement systématique et gratuit à notre magazine d'actu ROMANCE.
◆
Des points fidélité échangeables contre des livres ou des cadeaux.

➡ REJOIGNEZ-NOUS VITE EN COMPLÉTANT ET EN NOUS RENVOYANT LE BULLETIN

✂

N° d'abonnée (si vous en avez un) ⊔⊔⊔⊔⊔⊔⊔⊔⊔

`ZZ6F09`
`ZZ6FB1`

Mme ☐ Mlle ☐ Nom : .... Prénom : ....

Adresse : ....

CP : ⊔⊔⊔⊔⊔ Ville : ....

Pays : .... Téléphone : ⊔⊔⊔⊔⊔⊔⊔⊔⊔⊔

E-mail : ....

Date de naissance : ⊔⊔ ⊔⊔ ⊔⊔⊔⊔
☐ Oui, je souhaite être tenue informée par e-mail de l'actualité d'Harlequin.
☐ Oui, je souhaite bénéficier par e-mail des offres promotionnelles des partenaires d'Harlequin.

Renvoyez cette page à : Service Lectrices Harlequin – BP 20008 – 59718 Lille Cedex 9 - France

Vous n'avez pas le temps de lire tous les
romans Harlequin ce mois-ci ?
**Découvrez les 4 meilleurs
avec notre sélection :**

[COUP DE
COEUR]

HARLEQUIN

La romance sur tous les tons

Toutes nos actualités et exclusivités
sont sur notre site internet.

E-books, promotions, avis des lectrices,
lecture en ligne gratuite, infos sur
les auteurs, jeux-concours… et bien
d'autres surprises !

Rendez-vous sur

www.harlequin.fr

HARLEQUIN
www.harlequin.fr

OFFRE DÉCOUVERTE !

Vous souhaitez découvrir nos collections ? Recevez **votre 1er colis gratuit*** avec **2 cadeaux surprise !** Une fois votre colis de bienvenue reçu, si vous souhaitez continuer à recevoir nos romans, cela se fera automatiquement. Vous recevrez alors chaque mois vos romans inédits en avant première.

Vous n'avez aucune obligation d'achat et cette offre est sans engagement de durée !

*1 livre offert + 2 cadeaux / 2 livres pour la collection Azur offerts + 2 cadeaux.

☛ COCHEZ la collection choisie et renvoyez cette page au
Service Lectrices Harlequin – BP 20008 – 59718 Lille Cedex 9 – France

Collections	Références	Prix colis France* / Belgique*
❏ AZUR	ZZ6F56/ZZ6FB2	6 romans par mois 27,59€ / 29,59€
❏ BLANCHE	BZ6F53/BZ6FB2	3 volumes doubles par mois 22,90€ / 24,90€
❏ LES HISTORIQUES	HZ6F52/HZ6FB2	2 romans par mois 16,29€ / 18,29€
❏ ISPAHAN	YZ6F53/YZ6FB2	3 volumes doubles tous les deux mois 22,96€ / 24,97€
❏ MAXI**	CZ6F54/CZ6FB2	4 volumes multiples tous les deux mois 32,35€ / 34,35€
❏ PASSIONS	RZ6F53/RZ6FB2	3 volumes doubles par mois 24,19€ / 26,19€
❏ NOCTURNE	TZ6F52/TZ6FB2	2 romans tous les deux mois 16,29€ / 18,29€
❏ BLACK ROSE	IZ6F53/IZ6FB2	3 volumes doubles par mois 24,34€ / 26,34€
❏ SEXY	KZ6F52/KZ6FB2	2 romans tous les deux mois 16,65€ / 18,65€
❏ SAGAS	NZ6F54/NZ6FB2	4 romans tous les deux mois 30,85€ / 32,85€

*Frais d'envoi inclus, pour ISPAHAN : 1er colis payant à 13,98€ + 1 cadeau surprise.

Par la suite, colis à 22,96€ (24,97€ pour la Belgique).

**L'abonnement Maxi est composé de 4 volumes Hors-Série.

N° d'abonnée Harlequin (si vous en avez un) ⎵⎵⎵⎵⎵⎵⎵⎵

Mme ❏ Mlle ❏   Nom : _____

Prénom : _____   Adresse : _____

_____

Code Postal : ⎵⎵⎵⎵⎵   Ville : _____

Pays : _____   Tél. : ⎵⎵⎵⎵⎵⎵⎵⎵⎵⎵

E-mail : _____

Date de naissance : _____

❏ Oui, je souhaite recevoir par e-mail les offres promotionnelles des éditions Harlequin.
❏ Oui, je souhaite recevoir par e-mail les offres promotionnelles des partenaires des éditions Harlequin.

Date limite : 31 décembre 2016. Vous recevrez votre colis environ 20 jours après réception de ce bon. Offre soumise à acceptation et réservée aux personnes majeures, résidant en France métropolitaine et Belgique, dans la limite des stocks disponibles. Prix susceptibles de modification en cours d'année.Conformément à la loi Informatique et libertés du 6 janvier 1978, vous disposez d'un droit d'accès et de rectification aux données personnelles vous concernant. Par notre intermédiaire, vous pouvez être amenée à recevoir des propositions d'autres entreprises. Si vous ne le souhaitez pas, il vous suffit de nous écrire en nous indiquant vos nom, prénom et adresse à : Service Lectrices Harlequin BP 20008 59718 LILLE Cedex 9. Service Lectrices disponible du lundi au vendredi de 8h à 17h : 01 45 82 47 47 ou 33 1 45 82 47 47 pour la Belgique.

Composé et édité par HARLEQUIN

Achevé d'imprimer en mars 2016

BLACK PRINT

Barcelone

Dépôt légal : avril 2016

Pour l'éditeur, le principe est d'utiliser des papiers
composés de fibres naturelles, renouvelables, recyclables,
et fabriquées à partir de bois issus de forêts gérées selon
un système d'aménagement durable. En outre, l'éditeur attend
de ses fournisseurs de papier qu'ils s'inscrivent dans
une démarche de certification environnementale reconnue.

Imprimé en Espagne